ma grossesse
bio et naturelle
de la conception à la naissance

Collection dirigée par

Anne Ghesquière

Fondatrice de www.FemininBio.com

Le féminin qui change la vie

fémininbio.com

Crédits photographiques

Istockphoto.com pour les pages 23, 24, 27, 35, 37, 42, 51, 59, 73, 75, 76, 87, 102, 111, 116, 120, 123, 127, 135, 143, 163, 169, 175 et 186.

Fotolia pour les pages 7, 11, 17, 18, 20, 28, 39, 46, 48, 62, 64, 69, 81, 82, 89, 91, 95, 108, 131, 139, 150, 155 et 161.

Pippin Wright-Stow pour la page 52.

Amanda Viedma-Dodd pour la page 148.

Troisième tirage 2009

Groupe Eyrolles

61, Bld Saint-Germain

75240 Paris Cedex 05

www.editions-eyrolles.com

Conception et mise en page : Nord Compo

Choix iconographique : Matyas Le Brun

Relecture : Catherine Rouquette

Marie **Touffet**

Sage-femme

ma grossesse
bio et naturelle
de la conception à la naissance

EYROLLES

Remerciements

Je tiens à remercier :

– mon mari, Cyrille, pour son soutien absolu tout au long de ce projet et pour son amour qui me nourrit au quotidien ;

– mes deux enfants, Matisse et Camille, qui m'ont déjà tant appris sur moi-même et sur mon rôle si important de maman ;

– mes beaux-parents pour leur amour, leur confiance et leur soutien inconditionnel ;

– mon amie Anne, qui m'a offert ce projet, et Juliette et Margo, qui m'ont aidée à le réaliser ;

– Amanda, Gary, Érica et Pippin, pour le don généreux de leurs photos, si belles et si touchantes ;

– mes anciennes collègues de travail pour le partage de leurs connaissances et, tout particulièrement Julie pour sa présence et son soutien ;

– Catherine Rouquette, sage femme hapto-thérapeute, pour avoir pris le temps de relire mon manuscrit ;

– et, bien sûr, toutes ces femmes merveilleuses qui m'ont appris ce formidable métier de sage-femme au fil des années, et qui me rappellent sans cesse l'importance de respecter leurs corps, leurs cœurs et leurs bébés.

Sommaire

Mon quotidien.................................7
  Mon alimentation.........................9
  Ma forme..24
  Mon environnement....................31

Mes soins au naturel.................37
  Mes (petits) maux et
  mes (grands) remèdes...............40
  Mon corps.....................................57
  Mes médecines douces.............61

Ma psychologie...........................69
  Mon premier enfant...................71
  Mon deuxième enfant...............72
  La place du papa........................75
  Ma vie sexuelle...........................78
  Vivre sa grossesse.....................79
  L'allaitement................................86

Ma préparation
à la naissance............................91
  Mes appréhensions...................93
  Mon accompagnement professionnel..103
  Mon suivi.....................................107
  Mes soutiens..............................117
  Mon plan de naissance...........120
  Mes méthodes douces............122

La naissance de mon bébé.........127
  Mes derniers jours de grossesse...........129
  Mon accouchement physiologique......136
  Mon accouchement assisté................163

Ma remise en forme...................169
  Mon bien-être physique.......................171
  Mon bien-être psychologique.............178

Mon calendrier.............................181
  Le premier mois...................................182
  Le deuxième mois...............................183
  Le troisième mois...............................183
  Le quatrième mois..............................184
  Le cinquième mois..............................184
  Le sixième mois...................................185
  Le septième mois................................185
  Le huitième mois.................................186
  Le neuvième mois...............................186

À éviter durant ma grossesse.....187

Notes...188

Index...189

Introduction

Faire grandir en vous et mettre au monde votre bébé est une expérience que vous ne renouvellerez pas souvent dans votre vie. Cela vous transformera, vous grandira et vous bouleversera.

Pour de nombreuses femmes, la grossesse et la naissance sont deux étapes merveilleuses, mais également inquiétantes. Leur aspect mystérieux, mais aussi le processus de contrôle mis en place depuis le siècle dernier afin de «garantir» plus de sécurité favorisent cette inquiétude.

Il est évident que la médecine a fait des progrès incontestables et formidables dans le domaine de l'obstétrique; ce qui a permis de sauver la vie de nombreuses femmes et de nombreux bébés. Seulement, au fil du temps, le prix de ce suivi a également été lourd de conséquences physiques et psychologiques pour la femme comme pour son bébé. Aujourd'hui, tristement, trop de femmes ont perdu confiance en leur capacité à porter et donner naissance naturellement (physiologiquement), sans aucune aide médicale comme le déclenchement, la péridurale...

Ce livre vous offre des informations et des outils pour vous donner confiance en vous et en votre bébé, et optimiser ainsi votre expérience. Il ne prétend en aucun cas remplacer un suivi médical assuré par une sage-femme, un médecin ou un obstétricien.

Je vous encourage à personnaliser votre grossesse et votre accouchement selon vos besoins et ceux de votre bébé. Suivez votre cœur et n'hésitez pas à vous informer sur cette expérience unique que vous êtes à l'aube de vivre : pour votre bien-être, afin que votre bébé puisse bien naître.

chapitre 1

Mon quotidien

Nourrir votre corps est un geste facile à accomplir, mais bien savoir le nourrir est plus délicat. Notre train de vie a empiété sur notre capacité à nous alimenter de façon équilibrée. Être enceinte vous donne une très bonne opportunité pour vous informer et prendre de bonnes habitudes alimentaires. Ce chapitre vous guidera dans cette démarche et plus généralement, vous fournira de bonnes bases pour entretenir votre corps au quotidien.

Mon alimentation

Nous connaissons toutes l'importance de nous nourrir sainement ; en tant que femme enceinte, vous devez y être d'autant plus attachée. Du temps de nos mères, le conseil était de manger pour deux. Nous savons à présent que l'essentiel réside dans la qualité des aliments.

Votre corps s'adapte parfaitement à la présence d'un enfant ; il est capable de fournir la majorité de ce dont votre bébé a besoin, sans que vous ayez à vous en préoccuper. Cependant, si ses besoins ne sont pas comblés par votre alimentation quotidienne, le bébé puise dans vos réserves. C'est pourquoi il importe de veiller à votre santé.

En savoir plus

Procurez-vous la liste des additifs et leur signification et restez informée pour mieux consommer : www.notre-planete. info/ecologie/alimentation/additifs_0.php

Les règles d'or pour une bonne alimentation

• Consommez des produits naturels et/ou issus de l'agriculture biologique ! L'abus de pesticides et d'engrais chimiques a non seulement contaminé notre nourriture, mais également appauvri notre sol de ses nutriments (minéraux entre autres). Dans l'idéal, achetez bio et/ou jardinez.

• Optez pour des produits non raffinés : ils vous apporteront de bien meilleures sources de nutriments. Remplacez la farine blanche par la complète, faites de même avec le riz et les pâtes.

• Prenez le temps de lire la liste des ingrédients des produits achetés, évitez ceux qui contiennent des colorants artificiels et des conservateurs.

• Évitez les complexes vitaminés et préférez les nutriments contenus dans votre alimentation.

• Éliminez tous les produits allégés, ils contiennent des édulcorants bien plus nocifs encore que le sucre et des huiles hydrogénées[1] qui augmentent le taux de mauvais cholestérol, contrairement à ce que prétendent leurs étiquettes.

• Buvez de l'eau à volonté, préférez les tisanes au café ou au thé et diluez vos jus de fruits.

Mes besoins

✦ Les protéines

Les protéines sont essentielles pour la croissance et la réparation des cellules et des tissus vivants, à la formation d'hormones, d'enzymes et d'anticorps, donc indispensables à notre système immunitaire. Elles apportent aussi de l'énergie et de la chaleur. Vos besoins en protéines augmentent donc logiquement durant la grossesse. La protéine est constituée de 22 acides aminés : certains sont fabriqués par votre corps, vous trouvez les autres dans votre alimentation. Ils sont aussi appelés «acides aminés essentiels». Vous pouvez trouver des protéines dites «complètes» (comprenant les 22 acides aminés) dans certains aliments comme la viande, les œufs, les produits laitiers, le soja, la levure de bière et la spiruline ou en regroupant des légumes et des céréales, comme le riz complet et les lentilles, le pain complet et les légumineuses germées.

✦ Les glucides (sucres)

Les glucides apportent une source d'énergie et de chaleur principale et instantanée. Ils aident également à l'assimilation et la digestion de la nourriture. C'est la principale source d'énergie de votre bébé ; il ne faut donc pas la négliger et éviter de jeûner.

Ils existent sous trois formes :
- les sucres lents ;
- les sucres rapides ;
- la cellulose.

Les sucres lents sont digérés plus lentement, et apportent une énergie plus longue. Vous les trouvez dans les céréales, les pommes de terre, les pâtes, le riz.

Les sucres rapides sont assimilés plus rapidement et apportent une énergie plus immédiate. Faites attention aux sucres rapides raffinés : s'ils provoquent un rebond d'énergie, ils entraînent par la suite une période de déprime léthargique vous encourageant à en reprendre ; ils sont riches en calories et pauvres en besoins nutritionnels. Vous les trouvez dans les jus de fruits, le sucre, le miel, la confiserie, la pâtisserie. Consommez-les avec modération.

La cellulose est une fibre essentielle au bon fonctionnement de l'intestin lors de la digestion. Vous en trouvez dans la salade, le son et les légumes verts.

Les vertus du pollen frais

Le pollen est riche en vitamines, en lactoferments, en caroténoïdes, en polyphénols, en acides aminés essentiels et en oligo-éléments... Un très bon complément naturel[2] !

⚘ Les lipides (graisses)

Ils servent à fournir de l'énergie et à transporter certaines vitamines (A, D, E, K) dans le corps. Ils contribuent à la croissance des tissus vivants et sont essentiels pour rester en bonne santé. Ils contribuent aussi à vous donner une belle peau.

Les acides gras essentiels trans : attention, danger !

Il s'agit d'huiles hydrogénées et raffinées par un procédé chimique et de haute température.

Ce procédé est dangereux :

- il détruit 80 % d'oméga-3 ;
- il provoque des résidus de métaux toxiques ;
- il prédispose votre bébé à une réduction de croissance et de poids à la naissance ;
- il est susceptible de provoquer des maladies cardiovasculaires et des cancers du sein.

On en trouve dans la restauration rapide, les mayonnaises commerciales, les margarines, les produits contenant des huiles hydrogénées (gâteaux, biscuits...).

Une fois de plus : lisez la liste des ingrédients[3].

Ils sont composés d'acides gras divisés en deux groupes :

- les acides gras non saturés (d'origine végétale : légumes, noix, céréales...) ;
- les acides gras saturés (d'origine animale).

Les acides gras non saturés sont également divisibles en deux catégories :

- l'oméga-3 ;
- l'oméga-6.

Sources d'Oméga 3

- l'huile de lin bio (qui contient 60 % d'O3) ;
- les noix ;
- la citrouille ;
- les poissons riches comme le saumon et le maquereau ; consommés avec modération à cause de leur capacité à accumuler les métaux lourds comme le mercure, dans les eaux polluées.

L'oméga-3, contrairement à l'oméga-6, ne peut être fabriqué par le corps ; d'où l'importance d'en connaître les sources. La manière la plus saine de se procurer des acides gras essentiels est la consommation d'huiles végétales. Faites cependant attention à celles qui ont été hydrogénées, ce procédé rend les huiles non saturées très mauvaises pour votre santé et celle de votre bébé (voir encadré p. 12).

Optez pour une huile vierge, pressée à froid et bio de préférence. Elle vous assure une qualité nutritive et gustative extrême.[4]

Les bienfaits de l'huile d'olive

Riche en phosphore, potassium, magnésium, calcium, chlorine, fer, cuivre, sodium, manganèse, vitamine A et C, elle permet une bonne sécrétion de la vésicule biliaire et l'assimilation des acides gras essentiels. Elle a un effet légèrement laxatif et rend les légumes et les salades plus digestes. Bien sûr, il est important qu'elle soit extra-vierge et pressée à froid et idéalement biologique afin de bénéficier de toutes ses vertus.

ᴥ Les calories

La grossesse ne demande pas une forte augmentation de calories. En règle générale, une augmentation entre 100 et 300 calories est suffisante, rendant le total journalier compris entre 1800 et 2 200. Il vaut mieux privilégier les protéines et en augmenter la consommation (90 à 100 grammes par jour) que de se fixer sur les calories. Il faut savoir écouter son corps, manger à sa faim et surtout sainement.

La prise de poids est inévitable et est généralement considérée comme normale aux alentours de 12 kg.

ᴥ Les minéraux

Les minéraux sont les sels de la vie. Ils sont très importants au bon fonctionnement du corps. Il pourrait être tentant de prendre un complexe de vitamines et de minéraux déjà formulé «spécial grossesse». Mais il est bien meilleur de se procurer ses besoins par son alimentation; ils sont beaucoup mieux absorbés par le corps ainsi. Les minéraux et les vitamines s'entraident pour être mieux absorbés et il suffit de se souvenir de quelques petites règles pour vous faciliter la tâche.

Le calcium

Le calcium aide à la transmission nerveuse, à la coordination cérébrale, à la formation des os et des dents. Il est très important pour votre bébé et, s'il n'en trouve pas assez dans son alimentation, il puise dans vos réserves. Il permet d'éviter les spasmes musculaires ou crampes. Il favorise les contractions musculaires de fin de grossesse et de l'accouchement.

Vous en trouvez dans les légumes verts, la salade, les herbes culinaires, les amandes, la mélasse, le sésame, les pois chiches, le brocoli, les carottes, le céleri, les avocats...

Il se combine avec le phosphore et le magnésium.

Son absorption est favorisée par l'exercice physique et les vitamines A, C et D. Elle est défavorisée par les sucres raffinés, le chocolat, la caféine, l'anxiété et le stress.

Le fer

Le fer est vital à la création d'hémoglobines et de myoglobines qui permettent le transport d'oxygène par le sang dans tous nos tissus vivants. Le fer permet également au corps d'être plus résistant au stress et à la maladie en donnant une meilleure qualité au sang. Il optimise aussi nos fonctions respiratoires.

 Elles le vivent

« Ma sage-femme m'a conseillé de prendre une poignée d'amandes après chaque repas afin de lutter contre les brûlures d'estomac. C'est vraiment très efficace, de plus, les amandes sont riches en fer et en calcium ! » Sophie.

Le volume de votre sang s'élève énormément durant la grossesse. Afin de compenser cet état, le corps augmente sa capacité à absorber le fer reçu par l'alimentation. Il est souhaitable de l'accompagner en choisissant une alimentation riche en fer. En effet, la grossesse nécessite une augmentation des besoins journaliers en fer de l'ordre de 20 à 50 mg, non seulement à cause de l'augmentation du volume de votre sang mais aussi à la demande de votre bébé (pour sa croissance et pour le développement du placenta)[5].

Il est conseillé de ne pas supplémenter automatiquement votre alimentation en fer sans avis médical et présence d'une anémie importante (définie par une hémoglobine inférieure à 11 g/dl)[6]. Un taux d'hémoglobine supérieur à 14 g/dl peut provoquer une hypotrophie fœtale (c'est-à-dire un développement insuffisant).

Vous trouvez du fer dans les viandes, les poissons, les légumes verts, l'ortie, le persil, la mâche, les betteraves, les asperges, les carottes, les légumineuses, les fruits secs, les graines de tournesol, la citrouille, le sésame, la mélasse, les pois chiches et certaines infusions (voir page 40).

Son absorption est favorisée par la vitamine C, B12, B6, l'acide folique, le calcium, le cuivre et les protéines. Elle est défavorisée par le tabac, le thé et le café.

Le sodium

Le sodium permet une bonne maintenance de la circulation normale du volume sanguin et votre bébé a besoin de sodium pour sa propre circulation sanguine et pour son liquide amniotique. De plus, vous éliminez facilement le sodium par une transpiration plus abondante et, pour certaines d'entre vous, des vomissements qui durent parfois jusqu'à un stade avancé de la grossesse.

Le sel

Le sel raffiné contient des adjuvants, tels que des anti-agglomérants ou des composés fluorés ou iodés. Le sel naturel n'est pas raffiné et contient encore tous ses minéraux naturels ; ses propriétés nutritives et gustatives n'en sont que meilleures.

Il est donc important de saler normalement et de ne pas se restreindre en sodium sans avis médical.

On trouve du sodium dans le sel de mer, les carottes, les betteraves, le kelp, le miso[7], le blé germé, le fromage, les navets, les concombres, les choux de Bruxelles...

⚘ Les vitamines

Il existe deux groupes de vitamines :

- Les vitamines solubles grâce aux lipides (A, D, E, K) ont besoin de lipides, de minéraux et d'enzymes pour être absorbées. De ce fait, elles peuvent facilement stagner dans les graisses et difficilement éliminées lorsque votre corps a atteint le niveau désiré. Elles deviennent alors toxiques ; d'où l'importance d'en consommer avec modération.
- Les vitamines solubles dans l'eau sont éliminées facilement, le corps utilisant ce dont il a besoin et rejetant l'excédent. Elles peuvent être consommées librement.

La vitamine A

Elle existe sous deux formes :

- le retinol (d'origine animale) ;
- la carotène (d'origine végétale), qui se transforme en rétinole selon vos besoins.

L'augmentation de consommation de vitamine A est nécessaire pour soutenir les procédés reproducteurs intervenant dans la grossesse, et notamment le bon développement et la bonne croissance de votre bébé. Cependant, une consommation élevée de rétinole durant le premier trimestre de votre grossesse peut provoquer des malformations chez votre bébé (d'origine nerveuse ou cardiovasculaire)[8].

L'Organisation mondiale de la santé (OMS) déconseille aux femmes enceintes qui consomment régulièrement de la vitamine A d'en augmenter la dose, ou seulement sur avis médical[9].

Vous en trouvez dans les œufs, le foie, l'huile de poisson, les fruits et les légumes oranges, jaunes et verts (surtout la carotte, la citrouille, l'orange, l'ortie, les feuilles de pissenlit et le saurel).

Son absorption est favorisée par le zinc, le calcium et les vitamines B, C et E. Elle est défavorisée par l'alcool, la caféine, la cortisone, une forte consommation de fer et les huiles minérales.

---**Salade nutritive**

Combiner quelques légumes crus tels que carotte, betterave, chou, brocoli, céleri, fenouil, ail, tomate, concombre et avocat avec quelques graines de tournesol, citrouille, pousses de soja… avec les herbes et pétales des fleurs suivantes vous apportera une salade originale, parfumée et surtout très nutritive. Vous pouvez, bien sûr, varier les combinaisons selon votre goût et votre récolte.

Herbes : pissenlit, persil, menthe, chicorée sauvage, plantain.

Pétales : calendula, bourrache, violette.

La vitamine B

L'acide folique (B9)

L'acide folique est indispensable à la division cellulaire. Un trop faible niveau dans votre corps lors d'une phase décisive de votre grossesse (entre le 14e et le 20e jour, stade du développement du système nerveux embryonnaire) peut engendrer des malformations graves comme des anomalies de fermeture du tube neural (par exemple, le *spina bifida*, touchant près d'un embryon sur mille en France)[10].

De ce fait, si l'on planifie une grossesse, il est primordial d'acquérir un apport suffisant en folates au cours du premier trimestre. Si elle n'a pas été planifiée, il est important de le faire dès que possible.

Il est fortement conseillé de prendre l'acide folique prévu à cet effet en pharmacie car il garantit l'acquisition de vos besoins journaliers. Son dosage est de 0,4 mg par jour, de même en cas de grossesse multiple. Elle est de 5 mg par jour en cas d'antécédents familiaux d'anomalies de fermeture du tube neural, pour prévenir une récidive.

Vous en trouvez dans les légumes vert foncé, la viande, la levure de bière, les céréales complètes, le jaune d'œuf, le foie, les lentilles et les haricots.

La vitamine B6

C'est une vitamine essentielle à la production d'anticorps et de globules rouges ; d'où son importance pendant la grossesse. Un manque peut provoquer des nausées en début de grossesse et une anémie, une leucémie ou une déprime au moment de la période postnatale.

Vous en trouvez dans les légumes verts à feuilles (épinard, blette, salade...), les choux, les céréales complètes, le riz complet, les pruneaux, le jaune d'œuf, la levure de bière, la mélasse et le miel.

Son absorption est favorisée par la vitamine B2 (riboflavine, nécessaire pour transformer la vitamine B6 en forme active). Elle est défavorisée par une alimentation à base de friture.

La vitamine B12

Elle est également essentielle à la grossesse : un taux insuffisant trouble la production de globules rouges.

Vous en trouvez dans la viande bio, le poisson, la spiruline, le kelp, le son, le fromage, l'œuf, le foie.

Son absorption est favorisée par l'acide folique, le calcium, la vitamine B1, l'iodine (algues comestibles). Elle est défavorisée par les sucres raffinés, l'alcool, le café, les laxatifs...

La vitamine C

Elle est indispensable à la digestion, la formation des globules rouges, la lutte contre les hémorragies ; elle permet de guérir des brûlures et blessures et est indispensable à la formation des os et des dents.

Vous en trouvez dans le poivron, la tomate, le brocoli, l'avocat, le persil, les légumes verts à feuilles, les fruits oranges et jaunes, la papaye, la fraise, le cassis, la cerise acérola, le melon, la pousse d'alfalfa...

Son absorption est favorisée par le calcium, le magnésium et la vitamine B. Elle est défavorisée par le stress, les antibiotiques, la cortisone, l'aspirine et le tabac.

La vitamine D

C'est la vitamine du soleil. Elle est fabriquée par la peau grâce aux rayons ultraviolets ; d'où l'importance de prendre l'air et de profiter de la caresse des rayons du soleil sur votre peau. Il faut bien sûr éviter l'exposition directe durant de longues périodes et aux heures les plus fortes, entre midi et 16 heures.

Pendant la grossesse, elle facilite le transport du calcium et du phosphore à travers le placenta.

Vous en trouvez dans l'huile de poisson, la sardine, le hareng, le saumon, le beurre, le jaune d'œuf et les graines de tournesol.

Son absorption est défavorisée par les huiles minérales.

La vitamine K

La vitamine K est indispensable au mécanisme de coagulation du sang. Un manque important peut entraîner une fausse couche ou une hémorragie après la naissance.

Vous en trouvez dans les pousses d'alfalfa, les légumes à feuilles vert foncé, la tisane d'ortie, le blé, le son, l'avoine, le yaourt, l'acidophilus, le jaune d'œuf, le foie de bœuf et la mélasse.

Son absorption est défavorisée par les antibiotiques, l'aspirine, les huiles minérales, la radiation...

La vitamine E

Également importante dans le mécanisme de coagulation, elle permet de réduire le taux de cholestérol dans le sang. Elle soutient les poumons afin qu'ils puissent supporter la pollution et est source de fécondité.

Vous en trouvez dans les légumes à feuilles vertes, les petits pois, les amandes, les mûres, les céréales sous forme complète, les œufs, le foie, les huiles pressées à froid...

Son absorption est favorisée par le manganèse et le phosphore. Elle est défavorisée par la pollution, la chlorine, les huiles et les graisses rances.

◆ La boisson

L'eau, source de la vie et de notre santé ! Nous ne buvons jamais assez d'eau, et lors de la grossesse, nous en avons encore plus besoin. Saisissez l'opportunité de faire un grand bond en avant dans votre bien-être.

Buvez jusqu'à deux litres d'eau par jour pour optimiser votre santé, votre bien-être et votre beauté : une peau bien hydratée est bien plus jolie.

Tisanes

Pour bénéficier d'une qualité gustative et de propriétés médicinales, il est important de prendre des tisanes faites à partir de plantes issues de l'agriculture biologique et de consommer trois tasses par jour.

Quelques tisanes très utiles pendant la grossesse :
- feuilles de framboisier durant le dernier trimestre ;
- alfalfa, persil et ortie, qui sont riches en fer ;
- pissenlit, ortie, plantain et mâche, qui contiennent de l'acide folique ;
- gingembre contre les nausées.

Ma forme

L'exercice physique est un complément indispensable à votre équilibre. Si, pour vous, l'exercice physique est synonyme d'efforts, de temps perdu et de courbatures, être enceinte peut vous donner l'opportunité et la motivation de vous y remettre.

Pendant la grossesse, votre corps a besoin de votre soutien pour accomplir tous les changements demandés. Il y a plusieurs aspects à considérer :

- le renforcement musculaire qui implique la tonification des abdominaux, du plancher pelvien, des muscles du bas du dos et des jambes afin de maintenir une bonne posture et de se préparer à l'accouchement ;
- la respiration, trop souvent sous-estimée. Pendant la grossesse, vous respirez pour deux : soyez généreuse. Prenez le temps d'observer votre respiration : une bonne expiration en travaillant les muscles du ventre et les poumons permet de bien chasser l'air de vos poumons. Cela fait également travailler les muscles du ventre en préparation à l'accouchement.

La respiration abdominale

Améliorant l'oxygénation de votre corps et celle du bébé, elle favorise également la relaxation. Pratiquez-la plusieurs fois par jour, surtout si vous vous sentez fatiguée, essoufflée, ou stressée.

Dans la position de votre choix, tout en conservant une colonne vertébrale droite, expirez par la bouche en rentrant le nombril pour libérer un maximum d'air.

Allez-y doucement et arrêtez lorsque vous sentirez le travail des muscles du ventre.

Relâchez alors le ventre et inspirez naturellement.

Répétez une douzaine de fois.

Faites l'exercice régulièrement, au moins deux fois par jour.

❧ Ma posture

Au fur et à mesure que votre bébé grandit, votre corps doit s'adapter. Le poids de votre bébé a tendance à vous projeter en avant ; ce qui entraîne un changement au niveau des courbes de votre colonne vertébrale. Cela peut provoquer des douleurs en bas du dos. En cas de douleur, je vous conseille de consulter un ostéopathe.

S'ajoutent les changements hormonaux qui détendent vos muscles et vos articulations. Cela peut également vous déboussoler dans votre posture : certaines femmes ont même la sensation que leur squelette ne les soutient plus.

> ## Savez-vous que...
>
> Une mauvaise posture peut provoquer :
> • une constipation ;
> • un mal de dos ;
> • des hémorroïdes ;
> • des brûlures d'estomac ;
> • de l'aérophagie ;
> • un manque de souffle.

⸙ Mes exercices

Quels types d'exercices entreprendre et selon quelle régularité ? Si vous avez l'habitude d'en faire quotidiennement, continuez à votre rythme tout en vérifiant que le type de sport pratiqué est bien compatible avec votre état. Évitez les sports de contact, l'équitation et surtout les sports extrêmes.

> ## Quelques règles de précaution
> • Évitez d'être allongée sur le dos.
> • Buvez beaucoup d'eau.
> • Évitez les surchauffes.
> • Évitez les sauts, les changements abrupts de direction.
> • Vos étirements ne doivent pas être poussés au maximum.
> • Écoutez votre corps : si c'est trop dur, diminuez l'intensité.

La natation

Pratiquer cette activité au moins une fois par semaine vous permet de tonifier les muscles tout en vous détendant. Elle favorise également une bonne respiration. Enfin, elle vous procure le plaisir de vous retrouver totalement soutenue par l'eau... Beaucoup de piscines municipales et privées organisent des cours d'aquagym pour femmes enceintes. Cela vous donne par la même occasion l'opportunité de rencontrer d'autres femmes enceintes.

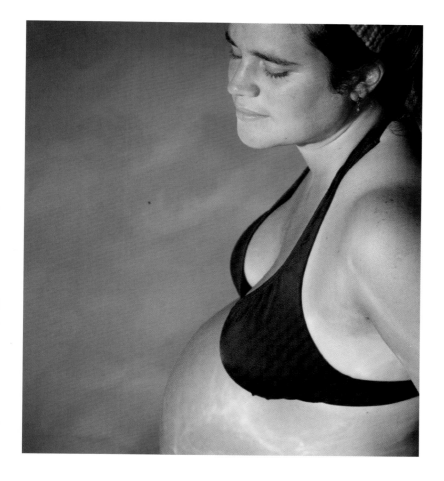

La méditation et la relaxation

Cela regroupe une variété de techniques et de philosophies. La méditation peut être spirituelle ou relaxante, pratiquée en musique ou en silence, chantée ou priée... Le choix est vaste, à vous de trouver celle qui vous convient le mieux !

Huiles essentielles

Quelques gouttes de lavande, orange et ylang-ylang dans un brûleur d'huiles accompagnent délicieusement la relaxation.

Méthode de relaxation

Choisissez une position confortable pour vous et votre bébé ; vous devez être le plus possible au contact du sol, mais évitez de vous allonger à plat et relevez la partie supérieure de votre corps à l'aide d'un ou plusieurs oreillers.

Fermez les yeux, laissez-vous porter par la musique ou le silence.

Concentrez-vous sur votre respiration, ralentissez-la.

Prenez le temps de parcourir chaque partie de votre corps et demandez-lui de se détendre.

Imaginez un afflux d'énergie parcourir votre corps, une énergie revitalisante, saine et belle pour vous et votre bébé.

Si vous sentez votre attention partir sur des pensées de votre vie quotidienne, ramenez-la vers vous et votre corps.

Lorsque vous avez fini, commencez par ramener votre attention sur vos membres, bougez vos doigts de mains et de pieds doucement, puis étirez-vous tout en restant les yeux fermés.

Mettez-vous sur le côté et asseyez-vous en tailleur, si vous ne l'étiez pas déjà.

Ouvrez vos yeux et relevez-vous lentement. Appréciez ce moment de pure détente avant de retourner à vos tâches quotidiennes.

Le yoga

Le yoga est une pratique très ancienne, il a évolué sous différentes formes et prétend optimiser le bien-être. Il n'est considéré ni comme une gymnastique ni comme une religion ou une philosophie, contrairement aux idées reçues. Le yoga permet de mieux connaître son corps, de le respecter et de comprendre la relation entre le physique et l'esprit.

Sur le plan physique, le yoga procure une souplesse générale des articulations et de la colonne vertébrale ; il est bénéfique aux intestins, au foie, au cœur, aux glandes et à la circulation ; il renforce notre système immunitaire par la circulation lymphatique. Sur le plan spirituel, il permet l'apaisement, la détente, le contrôle des émotions et de l'état nerveux. Vous comprendrez donc pourquoi le yoga est très bénéfique à la femme enceinte.

Il est néanmoins déconseillé d'en faire l'apprentissage par soi-même. Il serait en effet très facile de se blesser en adoptant de mauvaises postures et certaines sont contre-indiquées pendant la grossesse. Je vous conseille donc de vous renseigner auprès des écoles de votre localité. N'hésitez pas à en essayer plusieurs et surtout précisez bien que vous êtes enceinte.

En savoir plus
www.yoga.org.nz/french

La sophrologie

La sophrologie favorise l'harmonie et le bien-être général grâce à une méthode de relaxation profonde et guidée. Elle se pratique soit lors de sessions individuelles, où sont abordés des sujets précis, soit lors de thérapies de groupe où les techniques s'inspirent des méthodes de méditation tibétaine, du yoga ou du zen japonais. Dans le cadre de la grossesse, le but de la sophrologie est de détendre la femme enceinte, de l'aider à accepter les changements apportés par sa grossesse. Elle permet également de se préparer à l'accouchement afin de mieux le vivre et d'éviter la péridurale, par exemple.

En savoir plus
www.sophrologie.com

La danse

Dansez chez vous, seule avec votre bébé sur votre musique préférée ou avec la radio, avec votre partenaire, vos amies... comme vous voulez, mais dansez. La danse est une forme d'exercice sous-estimée, qui détend naturellement.

La marche

De préférence en plein air, à la campagne, dans les bois ou au bord de la mer, elle vous procure de l'énergie, de l'oxygène (à vous, mais aussi à votre bébé) et vous clarifie l'esprit. Si vous n'aimez pas trop le sport en général, la marche est un bon compromis. Elle peut se faire accompagnée de votre partenaire, en famille, avec une amie... ou à vous deux ! Au lieu d'inviter votre amie pour une tasse de thé ou un café, invitez-la pour une balade au bord de la mer ou en montagne ; vous pourrez papoter tout en faisant de l'exercice, et en prenant l'air.

Mon environnement

L'alcool

Il est reconnu que l'alcool est tératogénique, c'est-à-dire qu'il a un effet direct sur le développement du bébé. Son effet est très rapide : une minute après son absorption, il est déjà présent dans le placenta. La période la plus susceptible d'engendrer des effets néfastes sur votre bébé est dans les trois premières semaines de sa conception. Malheureusement, c'est souvent une période où la femme n'a pas encore connaissance de sa grossesse. Si vous planifiez une grossesse, évitez de boire dès à présent. Les effets de l'alcool peuvent se prolonger durant 24 heures, et plus la concentration est forte, plus les risques et les dégâts sont importants.

Les risques liés à la consommation d'alcool

• Le syndrome d'alcoolisme fœtal (SAF) est un état qui engendre une série d'anomalies liées à la prise d'alcool, au cours de la grossesse : un retard de la croissance, des troubles neurologiques, des retards dans le développement, des déficiences intellectuelles ainsi que des malformations cérébrales et une apparence physique particulière[11];

• Les «Effets possibles de l'alcool sur le fœtus» (EAF) signifient que l'alcool est perçu comme un facteur probable de malformations congénitales chez un enfant. Ces enfants présentent certains mais pas tous les signes du SAF.

La cigarette

Les campagnes antitabac de ces dernières années ont permis une information générale sur les effets néfastes du tabac sur la santé, et plus particulièrement pour la femme enceinte et son bébé. Si vous êtes fumeuse, votre sage-femme ou votre médecin vous informera des risques de la cigarette et vous encouragera à arrêter ou du moins à diminuer fortement votre consommation.

Les risques liés à la consommation de cigarettes

- La difficulté à concevoir s'accroît.
- Le risque de fausses couches augmente.
- Le risque de grossesses ectopiques (l'embryon s'implante autre part que sur les parois de l'utérus) s'accroît.
- Le cancer du col de l'utérus est favorisé.
- Les accouchements prématurés (et les risques liés) sont plus fréquents.
- Le bébé peut être en dessous du poids normal.
- Des dégâts placentaires (calcification, déchirures, malposition) peuvent apparaître.
- Les battements du cœur de votre bébé s'accélèrent pendant que vous fumez et décélèrent en dessous du niveau normal par la suite.
- Le risque d'hémorragie post-partum s'accroît.

Les drogues

Qu'elles soient considérées comme «douces» ou «dures», elles sont toutes très néfastes pour votre santé et celle de votre bébé.

En savoir plus
www.drogues.gouv.fr

⚘ Le cannabis

Le cannabis comporte de nombreux risques. Vous pouvez éprouver des difficultés à refuser les tentations dans votre environnement, mais je vous encourage à le faire pour vous, et pour votre bébé. N'hésitez pas à demander de l'aide autour de vous et félicitez-vous pour chaque petit pas.

Les risques liés à la consommation de cannabis

- La plupart des risques de la cigarette sont également présents chez la fumeuse de cannabis.
- Cela augmente le risque de bébé mort-né.
- Les produits chimiques dégagés par le cannabis tels que les cannabinoïdes sont capables de traverser le placenta et interfèrent avec la protéine responsable de la formation de l'ADN et ARN. Par conséquent, les bébés affectés naissent avec des cerveaux plus petits et certains possèdent des anomalies.
- On note la présence de méconium (les premières selles) pendant l'accouchement, signe de stress chez le bébé.
- Le cannabis réduit la production de prolactine, hormone indispensable à la production du lait maternel.

⚘ Les médicaments pharmaceutiques

Quelquefois nécessaires mais bien trop souvent superflus et excessivement consommés, ils sont à éviter autant que possible durant la grossesse. On peut, la plupart du temps, trouver un remède alternatif aussi efficace mais sans effets secondaires.

Pour cela, je vous conseille de choisir tout d'abord un médecin généraliste ouvert à votre philosophie. Certains médecins ont choisi de compléter leur formation par d'autres médecines douces afin de mieux servir leurs patients.

Vous pouvez également vous trouver un naturopathe ou un homéopathe si cela remplit mieux vos attentes ou besoins. C'est votre santé, votre corps, votre responsabilité, informez-vous et choisissez.

Les polluants : peintures, nettoyants ménagers, insecticides, fertilisants

Comment pouvez-vous protéger ou tout du moins minimiser les effets de ces polluants sur votre santé et celle de votre bébé? Vous pouvez adopter les comportements suivants :

- faites le choix de produits moins polluants, surtout chez vous. Préférez le bois massif, évitez le plastique, optez pour des peintures écologiques, minimisez le nombre d'ordinateurs;
- aérez votre maison ou votre appartement pour renouveler l'air;
- placez des plantes vertes «dépolluantes» dans les différentes pièces de votre maison; c'est un moyen simple et naturel de limiter la pollution intérieure;
- évitez de peindre lors de votre grossesse, aérez les pièces fraîchement peintes et placez-y un chrysanthème;
- achetez des produits de nettoyage naturels ou de label écologique;
- lorsque vous marchez en ville, restez le plus proche possible des magasins sur le trottoir.

Les plantes dépolluantes

C'est un moyen très économique et écologique de minimiser la pollution provoquée par la peinture, les nettoyants ménagers mais également les ondes. Voici le top 5 des plantes dépolluantes associées aux polluants :

- aloès : formaldéhyde présent dans les meubles en contreplaqué, mousses d'isolation, papiers d'emballage, papier toilette, essuie-tout, vêtements nettoyés à sec;
- plante araignée : monoxyde de carbone et le formaldéhyde;
- pothos : benzène, solvant souvent présent dans les peintures, encres, matières plastiques ou détergents;
- lierre anglais : acariens et benzène;
- cactus : les ondes[12].

Les radiations : ordinateur, portable, micro-ondes

Nous vivons aujourd'hui dans un monde envahi par des émetteurs d'ondes électromagnétiques, du téléphone sans fil au four à micro-ondes en passant par les radios-réveils… Et bien sûr, le téléphone portable.

Il est maintenant admis que les champs électromagnétiques ou ECM ont des effets néfastes sur la santé, même si beaucoup de pays, y compris la France, sont réticents à l'admettre officiellement et surtout à prendre des mesures de précaution afin d'en limiter les effets.

Selon la CRIIREM[13]

«Il est officiellement recommandé de ne jamais approcher un téléphone mobile en fonctionnement du ventre d'une femme enceinte (l'eau du placenta et les cellules de l'embryon sont très sensibles à l'énergie dégagée par le portable).[14]»

Les ECM peuvent interférer avec les courants électriques naturels de notre corps. Cela peut entraîner des effets biologiques de différentes ampleurs, selon l'intensité, le temps d'exposition et la sensibilité de chacun.

Ces ECM sont émis principalement par les portables, les antennes relais, le Wi-Fi et les téléphones sans fil.

Ils sont jugés responsables de fatigues chroniques, de troubles du sommeil, de migraines, de déprimes, et d'irritabilité. Mais, encore plus alarmant, en 2002, le Centre international de recherche sur le cancer (CIRC) a classé ces champs comme «cancérigènes possibles».

Les effets sur la grossesse sont évidemment inquiétants et, en attendant que des mesures de précaution soient mises en place internationalement, il est de notre devoir de réduire au maximum l'exposition à ces ECM.

Voici donc quelques recommandations :

- évitez l'utilisation du portable ou réduisez le temps d'utilisation. Observez certaines règles (éteignez votre portable la nuit, ne l'utilisez pas dans les endroits où la réception est faible, attendez que la personne vous parle avant de le coller à vos oreilles ou mieux, utilisez le haut-parleur et préférez l'oreillette filaire à tout autre gadget);
- revenez aux téléphones traditionnels pour équiper votre maison;
- évitez le Wi-Fi;
- protégez-vous. Il existe plusieurs systèmes de para-ondes à fixer sur votre portable, ordinateur, téléphone, ainsi que des pendentifs à porter soi-même. À vous de vous informer sur leurs propriétés et leur efficacité;
- n'oubliez pas le cactus ou l'aloès près de vos sources d'ECM;
- évitez de vous installer à moins de 250 mètres d'une antenne relais;
- continuez à vous informer.

chapitre 2

Mes soins au naturel

Une bonne alimentation et de l'exercice régulier vous permettent d'éviter d'éventuels problèmes de santé durant votre grossesse. Toutefois, les besoins liés à votre état excèdent parfois votre aptitude à les contenir. Vous avez alors besoin d'un apport supplémentaire. Si tel est le cas, il vaut mieux choisir un remède naturel et vous tourner, dans la mesure du possible, vers les médecines douces.

Dans ce chapitre, vous allez découvrir une multitude de remèdes et de thérapies. N'oubliez pas qu'il est important de ne pas abuser des remèdes naturels sous prétexte qu'ils sont naturels. Une plante médicinale reste un médicament dont il faut respecter les dosages. L'avis d'un praticien expérimenté, tel un naturopathe, un herboriste, un pharmacien ou même un médecin ayant suivi une formation spécifique, est conseillé.

Médicament : attention, danger !

En France, beaucoup de personnes ont pris l'habitude de s'automédicamenter. Or des médicaments que l'on pense être tout à fait inoffensifs peuvent s'avérer dangereux pour votre bébé. Consultez votre médecin avant de vous soigner.

Mes (petits) maux et mes (grands) remèdes

L'anémie

Durant votre grossesse, votre volume sanguin augmente à une rapidité étonnante, ce qui engendre une diminution du taux d'hémoglobines dans le sang, d'où une anémie naturelle. Votre sage-femme ou votre médecin la surveillera et vous conseillera en conséquence.

Vous pouvez cependant prendre les devants grâce à une alimentation riche en fer.

Une alimentation riche en fer

Nourriture : viandes, poissons, légumes verts, ortie, persil, mâche, betteraves, asperges, carottes, légumineuses, fruits secs, citrouille, sésame, mélasse, pois chiches et algues comestibles.

Tisanes : ortie, feuilles de framboisier (dernier trimestre seulement car c'est également un très bon tonifiant musculaire qui peut provoquer des contractions utérines chez les personnes sensibles), mâche.

Sel biochimique : *ferrum phosphoricum*.

Apport ferrugineux : sur avis médical, avec une préférence pour la forme gluconate ou bisglycinate afin d'éviter les risques de constipation et faciliter une meilleure assimilation.

N'oubliez pas de favoriser une alimentation riche en vitamine C afin de faciliter l'absorption du fer.

Les brûlures d'estomac

Causées par un reflux de liquide gastrique, elles sont plus fréquentes après les repas.

Les bienfaits de la mélasse

La mélasse est faite à partir de sirop de sucre de canne bouilli trois fois, qui donne cette substance noire au goût légèrement anisé. Elle contient entre autres du potassium, du fer, du magnésium, de la vitamine B6, du manganèse et du cuivre, en quantité non négligeable. Assurez-vous toutefois qu'elle soit bio.

Pour diminuer ces désagréments, choisissez des vêtements confortables ne contraignant pas votre taille ; évitez la caféine (café, thé ou chocolat) et les aliments qui fermentent, comme le pain ; mangez plus fréquemment et en petites quantités.

Soins

La tisane de menthe, le fenouil, le cumin, une poignée d'amandes ou de la papaye séchée après le repas neutraliseront les acides gastriques.
Sel biochimique : *natrium phosphoricum*.

La constipation

Un homéopathe saura vous prescrire le remède adapté, n'hésitez pas à consulter.

Prévention et soins

Favorisez une alimentation riche en fruits, en légumes et en fibres.
Buvez au moins 1,5 litre d'eau, de jus de citron ou de jus de pruneau chaud.

Les crampes

Elles vous surprennent autant par leur imprévu que par leur intensité. Conséquence de la pression de l'utérus sur certains nerfs, elles peuvent être également le signe d'un manque de calcium, de magnésium et de potassium.

Prévention et soins

Une alimentation riche en :
• calcium (légumes verts, salade, herbes culinaires, amandes, mélasse, sésame,
pois chiches, brocolis, carottes, céleris,
avocats) ;
• magnésium (légumes vert foncé, céréales complètes, mélasse, noix) ;
• potassium (légumes verts, fruits –
surtout les bananes –, sarrasin, noix, ail,
germes de blé, champignons, pommes de
terre).

Sel biochimique : *magnésium phosphoricum.*

Homéopathie : *chamomilla* ou *viber-
num.*

Thérapie : pour soulager la crampe,
asseyez-vous, prenez vos orteils dans les
mains et tirez-les vers vous.

Les démangeaisons

Elles peuvent être provoquées par l'étirement de la peau (de l'abdomen et parfois des seins), par les vergetures qui s'en suivent, par une augmentation des hormones œstrogènes et de progestérone ou par un manque d'acide folique.

Prévention et soins

Vérifiez que vos ressources en acide folique sont correctes.

Massez-vous avec une huile végétale bio. Utilisez une bonne crème à base de calendula ou d'aloès afin d'améliorer l'élasticité de votre peau. Optez pour des vêtements en fibres naturelles pour laisser votre peau respirer.

Attention, si la démangeaison est localisée au niveau du foie, c'est peut-être le signe d'un problème important ; parlez-en à votre sage-femme ou à votre médecin.

Les douleurs abdominales

Au cours du troisième trimestre, vos abdominaux peuvent s'écarter pour laisser plus de place à la croissance du bébé. Cela peut provoquer une période de tiraillements, le temps pour votre corps de s'habituer.

Les douleurs musculaires

Les premiers temps, la tension musculaire accentuée par les poussées de croissance périodiques du bébé peut provoquer des douleurs se traduisant par un pincement au niveau de l'aine (ligaments) ou des étirements sur les côtés du ventre. Plus tard et jusqu'à l'accouchement, votre utérus va se contracter par petits à-coups ; il se tonifie et s'entraîne au travail qui l'attend. Ces contractions ne sont pas douloureuses, mais peuvent parfois être inconfortables.

Les hémorroïdes

Elles sont causées par la relaxine, hormone qui détend nos tissus, nos ligaments, nos muscles et nos vaisseaux sanguins ; beaucoup de femmes enceintes y sont sujettes. Ce ne sont autres que des varices dont la particularité est qu'elles se situent à la sortie de l'anus. Elles sont inconfortables et peuvent créer une sensation de gêne, de brûlure, voir parfois provoquer des saignements. Lors de l'évacuation des selles, elles peuvent sortir, vous donnant l'impression de sentir comme une « grappe » de raisin. Elles reprennent généralement leur place initiale après vos besoins. Cependant, il peut arriver que tel ne soit pas le cas, il vous faudra alors les replacer délicatement. Elles disparaîtront, dans la plus grande majorité des cas, après l'accouchement.

Prévention et soins

Buvez de l'eau régulièrement ; mangez des fruits, des légumes et des fibres (avoine, orge, son, salade) et évitez les aliments qui vous constipent, en général les féculents et les sucres raffinés.

Appliquez des flocons ou de la poudre de psyllium, des compresses d'eau froide ; s'il y a des saignements, une crème à base d'hamamélis de Virginie est très efficace. Il existe également de très bons remèdes homéopathiques, mais il vaut mieux demander conseil à un homéopathe car plus le remède est spécifique aux symptômes présents, plus il agit. L'acupuncture a aussi prouvé son efficacité dans ce domaine[15].

Tisane : l'ortie ou la paille peuvent également vous aider.

Sels biochimiques : le *calcium fluoratum* promeut une bonne élasticité des vaisseaux sanguins et le *ferrum phosphoricum* renforce les parois, il est particulièrement approprié en cas d'inflammation.

Homéopathie : *bellis perennis* ou *paeonia* (pour les hémorroïdes douloureuses).

L'hypertension

Une pression artérielle égale ou supérieure à 14/9 est anormale et doit être surveillée. Provoquée le plus souvent par le stress et l'anxiété, elle ne doit pas rester haute constamment. Votre médecin ou votre sage-femme prendra soin d'observer votre pression sanguine à chaque visite et vous conseillera en cas de problème.

Prévention et soins

Réduisez votre niveau de stress, gardez une bonne hygiène de vie et évitez les excès. Cependant, s'il s'avère que votre pression sanguine reste trop élevée et que vous ne souffrez d'aucun autre symptôme (voir toxémie), vous pouvez la diminuer en suivant ces quelques conseils :

• si vous vous sentez stressée, parlez-en à votre compagnon, à une amie, à votre médecin ou à votre sage-femme ;

• essayez de régler la source de votre stress ;

• reposez-vous quotidiennement, détendez-vous et pratiquez les techniques de relaxation (voir le chapitre 1) ;

• assurez-vous aussi que votre taux d'acide folique est suffisant car une étude américaine[16] a montré une corrélation entre les deux.

La toxémie

Hypertension associée à d'autres symptômes, comme des maux de crâne frontaux, des troubles de la vision et la présence de protéines dans vos urines, la toxémie est une affection très sérieuse, votre sage-femme ou votre médecin saura vous surveiller et la dépister.

L'indigestion et l'aérophagie

Évitez les grands repas, préférez les petits en-cas plus fréquents, limitez les fritures et la nourriture trop épicée.

Prévention et soins
Tisanes : camomille, fenouil, anis.
Sel biochimique : *natrium phosphoricum* pour l'aérophagie.
Homéopathie : *chamomilla, lycopodium*.

Les infections

Les infections sont plus fréquentes pendant la grossesse. Elles peuvent avoir des répercussions sur vous et sur votre bébé. Il est donc important de consulter votre sage-femme ou votre médecin si vous pensez avoir contracté ou développé l'une d'entre elles.

❧ Les infections urinaires

Elles sont plus fréquentes pendant la grossesse car les uretères (tubes reliant les reins à la vessie) sont plus détendus, ce qui facilite la croissance de bactéries comme l'*Escherichia coli*. Appelée aussi «cystite» lorsqu'elle provoque une inflammation de la vessie, cette infection se traduit par une envie fréquente d'uriner, des difficultés à uriner, des sensations de brûlure lorsque vous y parvenez et des douleurs au niveau de la vessie (juste au-dessus de l'os pubien).

Il est très important de soigner cette infection dès les premiers symptômes au risque de la voir progresser et affecter vos reins, provoquant alors des douleurs abdominales, en bas du dos et de la fièvre. C'est l'inflammation rénale ou pyélonéphrite qui peut s'avérer grave pour votre santé et celle de votre bébé.

Prévention et soins

Buvez suffisamment d'eau.

Évitez les coups de froid.

Ayez une bonne hygiène (après les selles, prenez soin de toujours vous essuyer de l'avant vers l'arrière pour éviter la contamination, les bactéries vivant dans le rectum).

Évitez le café, le thé et les sucres raffinés.

Faites une cure de vitamine C, de jus de canneberge non sucré ou en comprimés, d'échinacée, de probiotiques, de jus d'orge non sucré.

Buvez des tisanes de lapacho, de prêle des champs, de verge d'or.

L'acupuncture, la médecine traditionnelle chinoise et la naturopathie peuvent être très efficaces.

Les bienfaits du lapacho

Le lapacho, également connu sous le nom de «Pau d'Arco» est un arbre brésilien dont l'aubier est utilisé depuis très longtemps pour ses vertus thérapeutiques, par les Indiens kallawaya. Riche en sels minéraux et oligo-éléments, il renforce le système immunitaire et est très efficace contre une multitude d'infections, de troubles ou de maladies.

Précaution à prendre : durant la grossesse, il est préférable d'éviter son utilisation sous forme de cure et de le prendre seulement à court terme (moins de 15 jours) afin de soigner une infection et de booster votre système immunitaire.

🍃 Les infections vaginales

Il est tout à fait normal et fréquent d'avoir plus de pertes vaginales pendant la grossesse, surtout en fin. Si ces pertes ont une odeur différente, si elles sont accompagnées de rougeurs, d'inflammations ou de démangeaisons, vous avez certainement une infection.

Voici, pour les principales infections, quelques remèdes naturels. N'oubliez pas de consulter votre sage-femme ou votre médecin afin qu'il vérifie leur disparition ou non.

Les bienfaits de l'huile de l'arbre à thé ou mélaleuca alternifolia

Très connue des aborigènes cette huile a des propriétés anti-infectieuses, antiseptiques, antifongiques, cicatrisantes, expectorantes, nettoyantes, stimulantes et guérisseuses (plaies).

La mycose vaginale

Champignon qui envahit votre flore intestinale lorsque l'environnement est favorable, acide ou appauvri en bonnes bactéries.

Prévention et soins

Buvez de la tisane de lapacho.

Utilisez une crème à base d'huile d'arbre à thé, de l'ail en capsule, de l'échinacée.

Portez des culottes en coton, et évitez le savon.

Rincez-vous avec du vinaigre de cidre afin d'apaiser les démangeaisons.

Diminuez votre consommation de sucre ou, mieux, faites une pause.

Homéopathie : étant donné la multitude de choix possibles, mieux vaut consulter.

> **Savez-vous que...**
>
> Le *candida albicans*, responsable de la mycose, adore les produits raffinés, en particulier le sucre ! Il profite d'une flore intestinale appauvrie par les antibiotiques, par les stéroïdes, par une déficience en fer ou par une femme stressée, pour se multiplier et causer une infection.

La vaginite (*gardnerella vaginalis*)

Causée par une inflammation de la muqueuse du vagin, elle est reconnaissable à l'odeur de poisson des pertes vaginales.

Prévention et soins

Les capsules de lactobacillus pour ressourcer la flore intestinale ; l'échinacée ; la vitamine C.

Le trichomonase

Causé par un parasite qui infecte le rectum, il est sexuellement transmissible. Pensez à soigner aussi votre compagnon.

Prévention et soins

L'acide borique ; l'orme rouge ; les probiotiques ; l'huile essentielle de mélaleuca alternifolia.
Homéopathie : *kreosotum*.

Les bienfaits des probiotiques

Ces micro-organismes régularisent la flore intestinale et la flore vaginale. Ils stimulent le système immunitaire, luttent contre certaines infections et soignent les diarrhées. On les trouve en gélules ou dans notre alimentation à travers les produits laitiers (préférez les bio), le tempeh[17], le miso et la choucroute.

Les insomnies

Prévention et soins
Tisanes comme la camomille, la lavande ou la mélisse.
Sel biochimique : *magnesium phosphoricum.*

L'insomnie peut aussi être causée par un manque d'acide folique.

Les jambes lourdes

La sensation de jambes lourdes est plus fréquente le soir. Les meilleurs remèdes sont l'élévation régulière des jambes et les bains tièdes.

Le mal de dos

Provoqué par le poids de votre bébé et le volume accru de liquide dans votre corps, vous pouvez en diminuer les symptômes en adoptant une bonne posture et une hygiène de vie conséquente. Cependant, si les douleurs persistent, consultez un spécialiste (ostéopathe, acupuncteur...).

Les maladies sexuellement transmissibles

Ces maladies sont très difficiles à vivre pour les personnes qui en sont porteuses, du fait de leur mode de transmission. Leur dépistage est d'autant plus difficile à entreprendre qu'il n'est pas obligatoire pour certaines (hépatite C, sida et herpès génital). Si vous avez contracté l'une des maladies ci-dessus avant ou pendant votre grossesse, vous devriez en discuter avec votre médecin ou votre sage-femme ; le suivi de votre grossesse sera différent. Il n'y a pas de cure disponible, seulement des soins préventifs ou complémentaires qui peuvent être bénéfiques pour vous et votre bébé.

Récapitulatif des remèdes et herbes qui renforcent et maintiennent le système immunitaire
Tisane : lapacho, échinacée, ginseng.
Alimentation : propolis, probiotiques, ail, oignon.

Les malaises

Plus fréquents en début et en fin de grossesse, ils sont liés à l'augmentation du volume sanguin, à l'hypoglycémie, aux changements hormonaux et à la pression exercée sur la veine cave inférieure en fin de grossesse.

Prévention et soins
Évitez de jeûner.
Évitez les endroits surchauffés.
Évitez de vous lever subitement surtout à jeun.

S'ils persistent ou s'ils sont accompagnés d'autres symptômes, parlez-en à votre sage-femme ou votre médecin.

Les œdèmes

Il est tout à fait normal de gonfler en fin de grossesse, en particulier les mois d'été. Rares le matin, les œdèmes deviennent surtout inconfortables le soir. Ils se traduisent le plus souvent par des jambes et des pieds lourds et gonflés. Si cela devient excessif et/ou si c'est associé à d'autres symptômes, consultez votre sage-femme ou votre médecin.

Soins

Prenez des bains tièdes (ajoutez du phosphate de magnésium dans l'eau, vendu en pharmacie).
Sel biochimique : *nat. mur.*

Évitez les bains chauds

Ils encouragent une dilatation des vaisseaux sanguins et accentuent les maux qui y sont liés. De plus, une température supérieure à celle du corps entraîne une surchauffe de votre bébé... ce qui n'est pas bon pour lui ! Si vous allez à la piscine, évitez le sauna, le hammam et les bains à remous où la température excède 37°C.

Les rêves

On dit qu'il faut en parler pour les effacer. Ils sont souvent indicatifs d'une angoisse ou d'une crainte pour la santé de votre bébé, pour le déroulement de la naissance, ou pour tout autre sujet. Parlez-en avec votre compagnon, avec une amie, avec votre sage-femme ou avec votre médecin.

Les nausées et les vomissements

Les nausées peuvent être au départ un événement heureux, signe et confirmation d'une grossesse. Mais quand elles persistent et s'amplifient, cela peut devenir très désagréable. Plus fréquentes le matin, elles peuvent se prolonger au long de la journée et provoquer des vomissements. Causées par les hormones œstrogènes et gonadotrophines chorioniques, par l'hypoglycémie naturelle du matin, qui affecte plus fortement la femme enceinte, ou par une déficience en vitamine B6, elles persistent rarement au-delà de la 16ᵉ semaine d'aménorrhée.

Prévention et soins

Évitez de cuisiner, demandez à votre compagnon de s'y mettre.
Reposez-vous.
Évitez de boire pendant les repas.
Supplémentez-vous en vitamine B6.
Prenez un verre d'eau avec une cuillère à soupe de vinaigre de cidre ou de la papaye en comprimé.
Essayez les bracelets vendus contre le mal de transport.
Tisanes : cannelle, fenouil, camomille, verveine.
Consultez un acupuncteur ou un homéopathe.

Précaution

Si vous vomissez après chaque repas et si les vomissements continuent au-delà de la 16ᵉ semaine d'aménorrhée, parlez-en à votre sage-femme ou à votre médecin.

Les varices

Les varices sont des veines dilatées, présentes généralement sur les jambes. Elles peuvent parfois se situer sur la vulve et provoquer une sensation très désagréable, comme un prolapsus. Elles sont plus fréquentes après plusieurs grossesses.

Voyage

Si vous devez prendre l'avion, n'oubliez surtout pas de porter des bas de contention. Ils réduiront les risques de développer des varices et surtout des phlébites. Optez pour des destinations où les vols sont de courte ou moyenne durées et où aucune vaccination n'est requise.

Prévention et soins

Facilitez le retour veineux en faisant des exercices tels que la marche et la natation.

Élevez vos jambes au-dessus du niveau de votre cœur pendant un bon quart d'heure.

Portez des bas de contention, ils sont plus esthétiques qu'avant.

❝ Elles le vivent

« Une amie naturopathe m'a conseillé de prendre du phosphate de fer et des tisanes d'ortie. Cela a réduit les symptômes à un niveau tout à fait supportable. » Karine.

Si vous suspectez la présence d'un blocage dans une varice, une sensation de chaleur accompagnée par une douleur, appliquez une compresse d'eau chaude, ne massez surtout pas, mais consultez votre sage-femme ou votre médecin au plus vite car les phlébites, caillots de sang bloquant la circulation, sont possibles pendant la grossesse.

Si vous souffrez d'autres maux, n'hésitez surtout pas à en parler à votre sage-femme ou à votre médecin, ils sauront vous rassurer et vous guider.

Mon corps

Mes cheveux

Vos cheveux peuvent être touchés par votre grossesse. Vous pouvez en perdre plus, ce qui peut aussi provenir d'une carence en protéines ou en calcium. Vous pouvez aussi constater la poussée de poils sur certaines parties de votre corps comme au visage ou sur les mamelons, et ce surtout vers la fin de votre grossesse. Cela n'a rien d'inquiétant si ce n'est pas excessif. Si ça le devenait, parlez-en à votre sage-femme ou à votre médecin.

Attention aux colorations chimiques

Très agressives pour votre chevelure, elles contiennent de nombreux produits dont la toxicité commence à être connue. Ces produits rentrent dans votre circulation sanguine et ce depuis la zone sensible qu'est notre cerveau; ils peuvent ainsi poursuivre leur route jusqu'à votre bébé! Par mesure de précaution optez pour un coiffeur qui utilise des colorations végétales ou qui les fabrique lui-même.

Ma peau

Votre peau sépare votre intérieur de votre extérieur. Elle fait partie de votre système immunitaire. Elle est aussi l'expression de votre bien-être et de ce fait vous fait savoir lorsqu'elle est agressée. Il est très important de la nourrir et de la respecter. Durant votre grossesse votre peau est généralement plus radieuse, il n'est d'ailleurs pas rare de voir une acné chronique se résorber le temps de la grossesse. Cependant, l'inverse peut se produire, surtout dans les derniers mois. Sachez que les symptômes disparaîtront après la naissance de votre bébé.

Quelques conseils pour une peau en pleine santé :
- nettoyez votre peau avec une eau florale bio (camomille, lavande…) ;
- optez pour une crème nourrissante bio neutre avec peu d'huiles essentielles afin de minimiser les risques d'allergie ;
- massez-vous quotidiennement avec de l'huile d'olive, d'abricot, de germe de blé, de macadamia bio ou de beurre de cacao afin de limiter les vergetures et les démangeaisons ;
- assurez-vous que votre alimentation est riche en vitamines C, en bioflavonoïdes et en zinc ;
- évitez les longues expositions au soleil ; surtout durant les heures chaudes.

> ### Savez-vous que...
> Les produits cosmétiques non bio contiennent un ou plusieurs des éléments suivants : éther de glycol, huile de vaseline et ou minérale (provenant du pétrole), huiles végétales raffinées (attention, acides gras trans), silicone, gélifiants de synthèse, antioxydants de synthèse, conservateurs et parfums de synthèse… et le tout «naturel»… très impressionnant !

Mes seins

Vos seins se préparent au fil de la grossesse à nourrir votre bébé. Ils grossissent, leur forme change et les auréoles deviennent plus grandes, plus foncées. Tous ces changements peuvent être agréables mais ils peuvent être également source de stress, d'angoisse ou de démangeaisons. Il est tout à fait normal de vous interroger sur la possibilité ou non d'allaiter. Prenez le temps d'en discuter avec un membre de votre famille ou une amie qui a déjà allaité et qui vous soutient dans votre choix d'allaitement. Parlez-en à votre sage-femme ou à votre médecin, surtout si vous êtes inquiète de la forme de vos mamelons.

La préparation physique se fait très naturellement ; votre bébé étant la meilleure personne à vous aider dans ce domaine. Cependant, pour celles qui désirent optimiser l'élasticité de leur peau, s'habituer à les toucher dans un but nutritif et favoriser une meilleure tenue générale, voici quelques conseils :

- évitez les bains chauds, préférez les douches tièdes et si vous supportez l'idée, passez un petit jet d'eau froide en fin de douche sur vos seins ;
- en milieu ou en fin de grossesse, vous remarquerez qu'en tirant doucement sur les mamelons, un fluide couleur crème ou jaunâtre sort, c'est le colostrum, premier lait de votre bébé ! Vous pouvez l'utiliser pour vous masser le bout des seins ;
- si vous êtes très sensible au niveau des seins, tirez vos mamelons pour vous habituer à la sensation ;
- évitez le savon et, si vous optez pour une crème, assurez-vous qu'elle soit bio.

Mes yeux

La cornée est moins hydratée et, de ce fait, porter des lentilles de contact peut être plus irritant. Si vous avez des troubles de la vision, mieux vaut en discuter avec votre sage-femme ou votre médecin.

Mes médecines douces

L'acupuncture et la médecine chinoise

L'acupuncture est une médecine fondée sur les principes de la médecine chinoise. Elle considère le corps dans sa globalité et veille à rétablir son harmonie. L'acupuncteur utilise des points précis du corps et travaille dessus à l'aide d'aiguilles très fines. Ce n'est pas une méthode douloureuse et elle peut éviter le recours aux médicaments ou une éventuelle intervention médicale. Des sages-femmes ont choisi de compléter leur profession par une formation d'acupuncture.

🌿 Les bénéfices pour votre grossesse

- Elle réduit l'anxiété et l'angoisse.
- Elle soigne les troubles digestifs tels que les nausées, les vomissements et la constipation.
- Elle soigne les troubles de la circulation tels que l'enflure.
- Elle soulage les problèmes de dos et de bassin, liés au nerf sciatique.
- Elle rectifie la position du bébé se présentant en siège entre la 30e et la 34e semaine (85 % de réussite).

🌿 Les bénéfices pour votre accouchement

- Elle déclenche le travail lorsqu'il est souhaitable médicalement.
- Elle promeut les contractions utérines si besoin est.
- Elle favorise un périnée plus souple.
- Elle peut être profitable à votre bébé et bénéfique pour l'allaitement.

En savoir plus
www.acupuncture-france.com

L'aromathérapie

L'aromathérapie utilise les huiles essentielles de plantes comme thérapie préventive ou curative. Elle est connue depuis des siècles, et plusieurs études récentes ont prouvé ses mérites[18]. Utilisées en massage ou ajoutées à un bain chaud, ces huiles peuvent également être inhalées par l'intermédiaire d'un brûleur ou d'un diffuseur.

🌿 Les bénéfices pour votre grossesse

- Elle soigne les troubles digestifs tels que les nausées et les vomissements.
- Elle soigne les troubles de la circulation.
- Elle diminue le stress, l'angoisse.
- Elle revitalise.

🌿 Les bénéfices pour votre accouchement

- Elle soutient la femme émotionnellement (stress, anxiété, peur…).
- Elle soutient la femme physiquement (lui redonne de l'énergie).
- Elle fait du bien à votre bébé.

Une liste des huiles contre-indiquées pendant la grossesse est inclue dans l'annexe.

En savoir plus
www.medecinesnaturelles.com/pages/
sante/aromatherapie/index.html

L'homéopathie

Pratiquée depuis plus de deux cents ans, elle n'a pas d'effets secondaires et peut être utilisée par une multitude de praticiens de la santé (médecins, naturopathes, dentistes...). Son fonctionnement intrigue cependant les plus sceptiques et défie certaines lois scientifiques. Elle se base sur la loi des similitudes et des procédés de haute dilution. L'homéopathe classique étudie chaque patient et chaque symptôme minutieusement afin de prescrire le remède le plus approprié. Un état peut recourir à plusieurs remèdes, tout dépend des symptômes et de la constitution de la personne qui va le prendre. C'est pour cette raison que la consultation est supérieure à l'automédication.

🌿 Les bénéfices pour votre grossesse

- Elle soigne les troubles digestifs (nausées, vomissements, constipation).
- Elle soigne les troubles de la circulation.
- Elle soigne certaines infections.
- Elle rectifie la position du bébé (postérieur, en siège, transverse...).

🌿 Les bénéfices pour votre accouchement

- Elle déclenche le travail lorsqu'il est souhaitable médicalement.
- Elle promeut les contractions utérines.
- Elle soutient la femme émotionnellement (stress, anxiété, peur...).
- Elle soutient la femme physiquement en cas d'intervention médicale (péridurale, forceps, césarienne...).
- Elle soutient le bébé en cas de stress à la naissance.
- Elle diminue les lochies (pertes sanguines postnatales).
- Elle peut bénéficier à votre bébé et être profitable à l'allaitement.

En savoir plus
www.homeophyto.com

La massothérapie

Elle a toujours existé, même si elle ne portait pas ce nom. Le massage est très instinctif lorsque nous (vous ou un de vos proches) souffrons physiquement ou émotionnellement. C'est une forme de toucher qui nous rapproche humainement. Professionnellement, la massothérapie prévient et soulage beaucoup de maux et de stress physiques et émotionnels.

❧ Les bénéfices pour votre grossesse

- Elle soigne les troubles digestifs tels que les nausées et les vomissements.
- Elle soigne les troubles de la circulation en promouvant une meilleure circulation.
- Elle soigne les maux d'origine musculaire et ceux du bas du dos.
- Elle diminue le stress et l'angoisse.
- Elle revitalise.
- Elle renforce le système immunitaire.

❧ Les bénéfices pour votre accouchement

- Elle soutient la femme émotionnellement (stress, anxiété, peur…).
- Elle soutient la femme physiquement (lui redonne de l'énergie, protège son périnée).
- Elle est bénéfique pour le bébé dès sa naissance.

Il existe différents styles de massage ayant différentes approches, par exemple le massage shiatsu qui utilise les méridiens de l'acupuncture, offrant à la femme enceinte un regain d'énergie. Il lui propose un accompagnement au fil de la grossesse qui lui permettra d'acquérir un équilibre global. Cette thérapie propose également une série d'exercices utiles pour la préparation à l'accouchement.

En savoir plus

www.femininbio.com/sante-et-forme/shiatsu

La méthode Acmos

La méthode Acmos est également connue sous le nom de «médecine quantique», «médecine énergétique» ou «vibratoire». Elle vise à rétablir l'équilibre énergétique de la personne.

Elle utilise les principes de la médecine chinoise à travers l'acupuncture mais aussi l'homéopathie, les huiles essentielles, la chromathérapie, les fluides quantiques, les oligo-éléments, les sels biochimiques et les complexes saisonniers.

Elle permet d'accompagner la femme enceinte sur le plan physique et psychologique. Elle peut soigner la femme et aussi son bébé si besoin est. Elle peut également accompagner la future maman lors de son accouchement à travers certains points d'acupuncture et grâce à des remèdes naturels. Par son approche globale, elle possède de nombreux avantages.

En savoir plus
www.acmos-sbj.com/methode/Methode.htm

La naturopathie

Cette thérapie très complète englobe la phytothérapie, l'homéopathie, l'acupuncture, l'alimentation. Le naturopathe préfère la prévention ; il éduque ses patients à une bonne hygiène de vie afin d'éviter la maladie. Si malgré tout elle paraît, il prescrit des remèdes naturels, en vue de la guérison.

Il peut être très utile de le rencontrer au début de votre grossesse, particulièrement si cette approche naturelle est nouvelle pour vous. Il saura vous y familiariser et vous guider.

⚘ Les bénéfices pour votre grossesse

- Elle permet une rééducation générale au niveau de votre régime alimentaire et vous aide à combler vos carences.
- Elle soigne les troubles digestifs.
- Elle soigne les troubles de la circulation.

En savoir plus
www.fenavi.net/

- Elle soigne les troubles du sommeil.
- Elle diminue le stress et l'angoisse.
- Elle renforce votre système immunitaire.

⚘ Les bénéfices pour votre accouchement

- Elle soutient la femme émotionnellement (stress, anxiété, peur...).
- Elle soutient la femme physiquement (lui donne de l'énergie).
- Elle peut être utilisée pour votre bébé.

L'ostéopathie

L'ostéopathie est une médecine douce qui a pour but de rétablir l'harmonie du corps par l'utilisation de techniques manuelles spécifiques.

⚘ Les bénéfices pour votre grossesse

- Elle résout les troubles fonctionnels (douleurs de dos ou du nerf sciatique).
- Elle soigne les troubles digestifs tels que les nausées et les vomissements.
- Elle promeut le bon positionnement de votre bébé.
- Elle vérifie qu'il n'y a pas de tensions physiques pouvant interférer au bon déroulement de la naissance.

⚘ Les bénéfices pour votre accouchement

- Elle déclenche le travail lorsqu'il est souhaitable médicalement.
- Elle soulage les douleurs de dos en fin de grossesse.
- Elle est positive pour votre bébé.

En savoir plus

www.osteopathe.com/osteopathie_grossesse.html

La phytothérapie

La thérapie par les plantes était la source de la médecine conventionnelle avant que l'homme ait l'audace d'en «améliorer» l'efficacité et surtout le rendement, en fabriquant des médicaments à base de plantes, voire entièrement chimiques.

Les plantes ont un très grand avantage : elles sont complètes et, bien utilisées, elles ne présentent aucun effet secondaire.

Elles s'utilisent de différentes façons : en infusion, en bouillon, en macération, en essences, en teintures alcoolisées... Chaque partie de la plante peut être utilisée isolément pour guérir différents maux : les feuilles, les fruits, les graines, les fleurs, les racines. La nature est vraiment bien faite !

🌿 Les bénéfices pour votre grossesse

- Elle soigne les troubles digestifs (nausées, vomissements et constipation).
- Elle soigne les troubles de la circulation (enflure et hypertension).
- Elle soigne la plupart des infections.

🌿 Les bénéfices pour votre accouchement

- Elle déclenche le travail lorsqu'il est souhaitable.
- Elle promeut les contractions utérines.
- Elle soutient la femme émotionnellement (stress, anxiété, peur...).
- Elle soutient le bébé en cas de stress à la naissance.
- Elle diminue les lochies (pertes sanguines postnatales).
- Elle est positive pour votre bébé et l'allaitement.

> **En savoir plus**
> www.tisane.info

La sophrologie

Elle peut être vue comme curative en plus d'être préventive et donc plus appropriée en séance individuelle.

> **En savoir plus**
> www.sophrologie.com

chapitre 3

Ma psychologie

Vous venez d'apprendre que vous attendez un enfant. Vous allez le porter, l'enfanter et prendre soin de lui physiquement, émotionnellement et psychologiquement; vous le ressentez déjà profondément. Vous allez vous préparer peu à peu à sa venue. Votre état physique et votre état émotionnel seront certainement perturbés, mais c'est votre état psychologique qui va être le plus bouleversé.

Mon premier enfant

Que vous ayez planifié ou non cette grossesse, vous serez peut-être en état de choc. Le désir, la joie, l'angoisse, la tristesse et même la déprime peuvent être des émotions que vous ressentez déjà. Ce mélange de sensations est tout à fait normal.

Votre métamorphose commence : vous devenez mère. Et devenir mère n'est pas une mince affaire.

Durant le premier trimestre, les nausées et la fatigue prendront peut-être le dessus et vous les rendrez responsables de tous vos états d'âme. Au fur et à mesure que votre énergie reviendra, vous remarquerez peut-être que votre seuil de tolérance a sérieusement baissé, vous vous sentez « à vif » et il vous est très difficile de ne pas dire tout ce que vous pensez. Vous entendrez souvent dire que c'est la faute des hormones de grossesse : elles ont bon dos, ces petites hormones ! Certaines personnes, comme Jennifer Lauden[19], pensent que ces hormones ne nous rendent pas différentes mais plus à l'écoute de nous-mêmes, plus « vraies ».

Si vous aimez écrire, pourquoi ne pas tenir un journal de grossesse ? C'est un très bon outil de réflexion et de libération des émotions, que vous aurez plaisir à redécouvrir dans quelques années.

Un autre élément important de votre première grossesse est le regard que vous portez sur vos parents et sur l'éducation que vous avez reçue : intégrez ce que vous considérez bon dans cette éducation et reniez le reste. Vous allez peut-être même lire des livres sur les différentes manières d'élever son enfant. Suivez votre cœur et lisez seulement ceux qui vous attirent, ils vous donneront plus d'informations et renforceront votre philosophie. Attention, si vous avez une conception plus alternative ou « biologique », vous serez certainement critiquée ! Les outils pour vous défendre vous seront utiles mais pas vitaux ; vous avez le droit et le devoir d'élever et d'éduquer vos enfants comme vous le désirez, dans l'amour et le respect.

Si le papa de votre enfant est présent, cette démarche doit être faite à deux. Si vous êtes ensemble, c'est que vous avez des points communs. Mais vous avez aussi un bagage différent et, à votre surprise, il se peut qu'il ait une vision bien différente de la vôtre. Il est important de vous accorder le temps d'en discuter et d'essayer de vous comprendre l'un et l'autre. Vous pouvez partager avec lui ce que vous avez lu sur le sujet et il existe également de très bons livres écrits pour les papas (voir page 77).

Mon deuxième enfant

Vous avez sous doute déjà entendu dire que le deuxième enfant est généralement plus «facile» que le premier, celui-ci ayant d'une certaine manière, essuyé les plâtres de votre apprentissage du rôle de maman... Il y a en effet du vrai dans cela. La section «Mon premier enfant» vous a peut-être fait sourire. Toutes ces aspirations, cet idéalisme... Cela n'était vraiment pas réaliste et vous comprenez tellement mieux le sens des mots «compromis» et «survie». Cette fois-ci, vous n'avez plus à devenir mère, vous l'êtes déjà et vous connaissez aussi ce qui fonctionne pour vous et votre famille.

Il y a cependant un changement important : vous venez de passer de trois à quatre et vous devinez que votre enfant va être jaloux de son frère ou de sa sœur, cela semble inévitable et vous angoissez peut-être déjà. Il y a une période de transition pour tout le monde, et votre comportement, ainsi que celui du papa, est primordial pour son bon déroulement. Si chacun trouve sa place, il n'y aura pas de raison d'être jaloux de l'autre.

N'attendez surtout pas la naissance pour préparer votre enfant : vous avez plusieurs mois devant vous, profitez-en ! Bien sûr, l'âge et le sexe de votre enfant vont guider le niveau et l'amplitude des informations données mais les éléments clés sont les mêmes pour tous :

- expliquez clairement à votre enfant ce qui va se passer : vous allez avoir un bébé, votre corps va changer et il faudra attendre quelque temps avant de faire sa connaissance;
- faites-lui partager quelques visites prénatales afin qu'il se sente intégré;
- dites-lui que votre amour pour lui sera toujours aussi fort et que vous avez assez d'amour pour deux enfants;
- expliquez-lui que vous serez occupée par le bébé comme vous l'étiez avec lui, mais que vous aurez toujours du temps pour lui aussi;
- montrez-lui des livres qui expliquent la grossesse et la naissance (il en existe pour chaque tranche d'âge);
- répondez à toutes ses questions le plus honnêtement possible.

 Elles le vivent

« "Est-ce que tu l'aimeras autant que moi, le bébé?" Je lui ai répondu, après une intense, mais rapide réflexion : "Oui, mon chéri, ce ne serait pas juste pour lui, autrement; il mérite tout notre amour. Mais tu sais, cela fait déjà sept ans que je t'aime et je t'aurai donc toujours aimé sept ans de plus que lui!" ». Justine.

Quelques petites idées pour faciliter la transition après la naissance :
- ayez un petit coffre à jouets que vous sortez exclusivement lors des tétées;
- profitez des tétées pour lire un livre avec lui;
- demandez-lui de l'aide pour vous occuper de votre bébé et félicitez-le (apporter les couches, mettre le linge sale dans le panier…);
- si vous avez décidé que la venue de votre bébé serait une opportunité pour faire des changements concernant votre premier enfant (le faire dormir dans son propre lit et non plus dans le vôtre, demander à son père de lui lire une histoire à votre place…), il serait préférable de les organiser durant votre grossesse afin qu'il n'en rende pas son frère ou sa sœur responsable.

La place du papa

Si, pour vous, cette grossesse bouleverse votre vie, il n'en est pas moins pour votre compagnon. Lui aussi passe par différentes émotions, mais il ne vous en parle peut-être pas aussi facilement. Il remet également sa propre éducation en question ainsi que sa capacité à devenir un bon père.

Ce n'est pas aussi facile pour un homme d'exprimer ses sentiments. Et puis il n'éprouve peut-être pas les sentiments que vous éprouvez ou pas au même moment. Il sera important de vous laisser de la place pour vous exprimer seuls ou ensemble. Une bonne communication vous permettra d'échanger vos points de vue sur le vécu de votre grossesse et la préparation à devenir parents.

La majorité des papas ont du mal à trouver leur place et à tisser des liens avec leur bébé dès le début de la grossesse. C'est souvent au deuxième trimestre que cela fait «tilt» : votre ventre s'arrondit et surtout, votre bébé bouge. La préparation à la naissance est aussi une étape clé. Mais, pour beaucoup, c'est vraiment au jour de la naissance que le lien se tisse.

Ils le vivent

«Même avec la plus grande volonté d'être en connexion avec son bébé, pendant la grossesse, un père n'aura jamais le ressenti d'une mère qui le porte dans sa chair. Ce n'est donc qu'à l'arrivée de bébé dans notre monde que j'ai vécu une véritable connexion, dépassant toute description.» Matthieu.

Facilitez l'intégration du papa :

- amenez votre compagnon aux visites prénatales, du moins à quelques-unes;
- intégrez-le dans vos projets et préparez un plan de naissance ensemble;
- parlez à votre bébé en sa présence et encouragez-le à en faire autant;
- partagez avec lui les informations trouvées dans les livres;
- invitez-le à venir aux cours de préparation, il y rencontrera d'autres hommes et cela rendra aussi la venue de bébé bien réelle.

En savoir plus

Docteur Gérard Strouk, Corinne Vilder Bompard, *Je vais être papa*, Éditions du Rocher, 2001.

Christine Colonna-Césari, *La Grossesse du père*, Éditions Médicis, 2003.

Ma vie sexuelle

Votre vie sexuelle sera certainement affectée par votre grossesse. Faire l'amour n'est cependant pas contre-indiqué, sauf en cas de complications. Votre col est placé suffisamment haut et votre bébé est protégé par sa poche de liquide amniotique.

Certaines femmes ont une libido accrue, alors que d'autres la perdent presque entièrement pendant leur grossesse, à vous de voir où vous vous situez. Dans tous les cas, le désir est important. Si vous l'avez perdu, parlez-en à votre compagnon, expliquez-lui que ce n'est pas personnel et certainement temporaire.

Durant le premier trimestre, vous n'avez peut-être tout simplement pas la tête à cela. Si vous souffrez de nausées et de fatigue, vous n'aurez certainement qu'une envie : dormir. Vous aurez peut-être aussi peur de faire mal au bébé, surtout si vous avez déjà vécu une fausse couche, c'est tout à fait normal.

Durant le deuxième trimestre, vous vous sentez généralement mieux et votre libido s'en ressent, profitez-en !

Durant le troisième trimestre, votre bébé a grandi, votre abdomen est plus gros et vous ne vous sentez pas trop à l'aise. Si vous avez envie d'intimité, soyez plus créatifs. Plus vous approcherez du terme et plus la fatigue se ressentira. Vous remarquerez peut-être que faire l'amour provoque quelques séries de contractions. Votre sage-femme vous en a peut-être déjà fait part, l'orgasme libère de l'ocytocine et le sperme contient de la prostaglandine, qui a pour effet de mettre le travail en route. La nature est joliment faite : de l'amour pour faire un bébé et de l'amour pour l'aider à sortir ! Cependant, si votre bébé n'est pas prêt, cela ne le fera pas pour autant sortir.

Si votre libido est au repos, vous pouvez tout de même exprimer votre affectivité envers l'autre par d'autres façons : un repas aux chandelles, des massages, une étreinte ou tout simplement des mots doux, des mots d'amour.

Vivre sa grossesse

Devenir mère

Beaucoup de cultures voient la grossesse et l'accouchement comme un droit de passage important dans la vie d'une femme. Elle passe du besoin de la fille à celui de la mère et certaines femmes acceptent les difficultés de l'enfantement comme un chemin initiatique qui les prépare aux difficultés de la parentalité.

 Elles le vivent

« Je me souviens, lors de la poussée, il y eut un moment très dur ou j'ai fixé les yeux de mon amie présente et j'ai vu l'immensité de la femme. Toutes les femmes du monde étaient dans ses yeux, présentes pour me soutenir, c'était incroyable ! » Emma.

Dans les pays anglo-saxons, un nouveau « rituel » commence à se répandre : *the blessingway ceremony*. Cette célébration se déroule entre femmes et est souvent organisée par une amie proche de la future maman. Elle a pour but de célébrer la grossesse et de vous donner confiance en votre capacité à enfanter. Elle est pleine de joie et de créativité : chant, poésie, jeux... La future maman y est « maternée » : massage, soins du visage... La cérémonie peut avoir lieu à l'extérieur dans un lieu paisible, en pleine nature ou dans un parc. Votre sage-femme ou votre doula peut y participer si elle le désire.

Remise en question

La remise en question de votre éducation n'est pas la seule que vous ferez lors de votre grossesse. En effet, c'est le moment pour de nombreuses femmes de faire le bilan de leur vie, leur famille, leurs rencontres, leur activité professionnelle et les périodes difficiles vécues. C'est un peu un nouveau départ qui se présente et vous avez envie de bien faire.

Si vous faites ce bilan général, n'oubliez pas d'inclure toutes les choses que vous avez accomplies et dont vous êtes très fière.

Si vous voulez faire le point avec des membres de votre famille ou une autre relation mais que vous trouvez cela trop difficile, pourquoi ne pas leur écrire ? Cet exercice est très utile, que vous décidiez de poster, détruire la lettre ou de la garder.

Au niveau relationnel, il est assez fréquent que les couples fassent le tri dans leurs copains ou amis. Vous avez l'impression de ne plus être sur la même longueur d'onde avec ceux qui n'ont pas d'enfants ou d'en effrayer quelques-uns par votre nouvel « état ». Vous vous faites naturellement de nouveaux amis et, étrangement, ils ont cette tendance à épouser la même conception que vous de la grossesse et de l'art d'être parents.

❧ Si vous êtes célibataire

Par choix ou non, vivre sa grossesse et se préparer à élever un enfant seule n'est pas facile. Vous aurez besoin d'un soutien supplémentaire et n'hésitez pas à le demander car vous ne recevrez pas de médaille pour avoir fait tout toute seule.

Si vous êtes isolée, votre sage-femme peut vous mettre en lien avec d'autres mamans ou futures mamans seules.

Si vous étiez mal accompagnée, vous avez sûrement fait le bon choix et vous sentir déprimée par moments, est tout à fait normal. Votre famille ou vos amis peuvent vous apporter un soutien vital.

Si c'est par choix, vous serez certainement jugée. Une fois de plus, le soutien de vos proches vous est nécessaire.

🌿 Si vous êtes en dépression

Il peut arriver que les émotions créées par votre grossesse vous submergent à tel point que vous en soyez déprimée. Vous êtes déjà peut-être sujette à la dépression et vous en connaissez même peut-être la cause. Si vous vous sentez ainsi, ou si l'un de vos proches s'inquiète de votre état psychologique, agissez !

Des traumatismes passés sont peut-être en train de refaire surface et vous ne savez comment réagir. La grossesse est un événement bouleversant et votre esprit vous met en alerte afin que vous fassiez face pour mieux accueillir votre enfant. Célébrez cette opportunité qu'il vous offre, quelles que soient les difficultés à venir. Vous en sortirez plus forte.

Parlez-en à votre sage-femme ou à votre médecin et consultez un psy. Évitez les antidépresseurs pharmaceutiques, généralement contre-indiqués durant la grossesse. Préférez les soins naturels utilisés par la phytothérapie, l'homéopathie, l'acupuncture, la médecine traditionnelle chinoise, la méthode Acmos... Attention : les soins apportés seront seulement un support pour vous sentir mieux, ils accompagneront la thérapie mais ne la remplaceront pas.

🌿 Si vous avez été abusée sexuellement

Les études internationales ne sont pas rassurantes. Elles nous dévoilent qu'une femme sur trois est victime d'abus sexuels avant l'âge de 18 ans. Sachant que de nombreux abus ne sont pas dévoilés, la réalité est certainement encore plus choquante. L'abus sexuel touche toutes les races, toutes les religions et toutes les cultures[20].

Si vous avez été victime d'abus sexuels dans votre passé, vous n'en êtes pas responsable, vous ne l'avez pas demandé ou mérité. En revanche, si vous n'en avez jamais parlé, je vous recommande de le faire. Se libérer de ce secret est le premier pas vers la reconnaissance de ce que l'on vous a fait. S'autoguérir est très difficile et lourd à gérer. Si vous n'avez jamais suivi de thérapie, je vous le conseille vivement.

Si vous pensez avoir été victime d'abus sexuels mais n'en avez pas de preuves visuelles (ce traumatisme ayant pu être effacé de votre mémoire), je vous conseille également de suivre une thérapie.

Le choix d'un thérapeute

Le choix de votre thérapeute est primordial ; il doit savoir vous écouter sans aucun jugement. Il ne peut pas ou ne doit pas vous dire si vous avez été abusée, dans le cas où vous le soupçonnez ; vous en êtes le seul juge. S'il ne répond pas à vos besoins, vous rabaisse, minimise l'impact ou l'abus, cherchez un autre thérapeute. Vous devez vous sentir vraiment à l'aise avec elle (ou lui). Ne baissez pas les bras trop vite et gardez courage.

En savoir plus

Fernande Amblard, *Panser l'impensable : Vivre pleinement sa vie d'adulte malgré un abus sexuel*, Jouvence, 2003.
François Louboff, *J'aimerais tant tourner la page : Guérir des abus sexuels subis dans l'enfance*, Les Arènes, 2008.

Les conséquences

Les conséquences sur votre grossesse et l'accouchement sont les suivantes :

- la peur de subir tout examen gynécologique (parlez-en avec votre sage-femme ou votre médecin, qui peut limiter ces examens au strict minimum et ce, toujours avec votre consentement et en vous expliquant ce qu'il ou elle fait);
- l'importance du choix des personnes qui vous accompagnent durant votre grossesse et votre accouchement;
- le choix de votre domicile pour accoucher afin de vous «protéger» au maximum;
- la peur de perdre le contrôle ou le refus total de prendre le contrôle;
- les crises d'angoisse pendant la grossesse ou l'accouchement;
- le souvenir de l'abus lors de l'accouchement et parfois l'interruption du cours de votre accouchement pour en parler.

Si vous subissez des violences domestiques

Une femme sur dix est victime de violences conjugales[21]. Une femme décède tous les trois jours sous les coups de son compagnon[22].

Ces chiffres sont choquants, mais la réalité est sûrement plus triste encore. Si vous pensez être victime de violences conjugales, dites-vous avant tout que vous n'en êtes pas responsable et que vous ne le méritez pas. Comme tout autre être humain, vous méritez amour et respect. Ne perdez pas espoir. Il n'est jamais trop tard pour agir. Parlez-en à une personne de confiance. Il existe des aides pour vous sortir de cette situation. Votre sage-femme ou votre médecin peuvent aussi vous aider. Vous portez un enfant, prenez cette opportunité pour casser la chaîne de la violence et protéger votre enfant et vous-même par la même occasion.

Définition

«La violence au sein du couple est un processus évolutif au cours duquel un partenaire exerce, dans le cadre d'une relation privilégiée, une domination qui s'exprime par des agressions physiques, psychologiques, sexuelles, économiques ou spirituelles. Elles se distinguent des conflits de couple en difficulté[23]. »

En savoir plus

3919 : Violences conjugales Info
www.solidaritefemmes.fr
Emmanuelle Millet, *Pour en finir avec les violences conjugales*, éditions Marabout, 2005.

Les conséquences

Les conséquences de la violence conjugale sont les suivantes :

- votre bébé souffre physiquement ou psychologiquement lorsqu'il est en vous et sa vie peut être en danger ;
- votre enfant courra les mêmes risques, une fois né ;
- votre enfant gardera des séquelles de ce qu'il vivra chez lui et risquera de devenir une future victime dans sa vie conjugale ou de répéter la violence vécue.

✿ Si votre partenaire est une femme

En savoir plus

www.aml-lma.org/fr_library.html

Ce livre semble souvent considérer comme acquis une relation hétérosexuelle et unie. Il en est ainsi afin de représenter la majorité et non par discrimination. Le passage d'une relation homosexuelle à la fondation d'une famille peut avoir des ramifications psychologiques importantes.

Notre société a fait des progrès afin d'intégrer vos besoins de couple, mais fonder une famille est encore un sujet tabou qui suscite beaucoup de désaccords. Il est donc important de vous protéger psychologiquement et d'établir une barrière de soutien autour de vous.

Si vos parents sont hétérosexuels, l'éducation que vous avez reçue sera certainement différente de celle que vous allez apporter à votre enfant et, pourtant, les bases sont identiques : l'amour et le respect. Si vous connaissez d'autres couples homosexuels, échanger vos expériences peut vous apporter beaucoup et mieux vous préparer. Cherchez des associations qui vous soutiennent ou des forums sur lesquels vous pouvez parler avec des couples qui ont des enfants.

L'allaitement

Les humains sont les seuls êtres vivants qui se posent la question du choix de l'alimentation de leurs petits.

Il est tout à fait naturel et biologique d'allaiter son enfant. C'est sans aucun doute ce qu'il y a de meilleur pour votre bébé. Donner du lait artificiel ne fera pas de vous une mauvaise mère, mais allaiter votre bébé vous gratifiera pour la vie.

L'allaitement est en hausse, nous disent les statistiques, et pourtant, la France n'est pas un très beau modèle comparé aux pays voisins. Alors, pourquoi tant de femmes préfèrent-elles ne pas allaiter ?

Raisons exprimées

La plupart des femmes évoquent les raisons suivantes :

- la peur de la douleur et des crevasses : cela est dû à un mauvais positionnement et peut donc être évité ;
- la pudeur de montrer ses seins en public : vous pouvez être très discrète avec des vêtements conçus pour l'allaitement ou l'utilisation d'un châle ;
- la contrainte d'être la seule à nourrir votre bébé : vous pouvez aussi le voir comme un privilège, une fierté ;
- le retour au travail rapidement : il existe de très bons tire-lait qui vous permettront de continuer ;
- avoir un compagnon qui veut aussi nourrir son bébé : donnez-lui l'information adéquate pour qu'il comprenne que c'est bien mieux pour son enfant et que le moment où il prendra de la nourriture solide viendra très vite ;
- un compagnon jaloux : rassurez-le, il ne vous a pas perdue pour autant ;
- des troubles psychologiques souvent liés à des abus sexuels dans le passé, que vous en soyez consciente ou non. Si vous avez un blocage, des peurs ou des angoisses à l'idée d'allaiter, parlez-en à votre sage-femme.

Quelques mythes

- «Cela fatigue.»
- «Cela abîme les seins.»
- «Je n'aurai peut-être pas assez de lait.»
- «Mon lait pourrait être mauvais.»

Ces mythes existent du fait d'un manque réel d'information et de soutien autour de l'allaitement.

Les bienfaits physiologiques

La physiologie de l'allaitement, en bref

Un cocktail d'hormones prépare votre corps à l'allaitement dès votre grossesse. L'hormone prolactine est responsable de la production de votre lait et l'ocytocine contracte vos muscles pour éjecter le lait dans la bouche de votre enfant.

Lorsque votre enfant tète, il envoie un signal qui libère l'ocytocine. Lorsqu'il a cessé de boire, la prolactine a pour rôle de fabriquer la quantité de lait utilisé.

Pour votre bébé

- L'allaitement diminue les risques de contracter des maladies infectieuses (gastro-intestinales, otites, respiratoires...).
- Il diminue les risques de développer des maladies chroniques (allergies, asthme, diabète, cancers infantiles, obésité, maladies cardiovasculaires...).
- Il favorise le potentiel naturel du développement cognitif et physique (croissance, développement moteur et santé dentaire).
- Votre lait s'adapte aux besoins changeants de votre bébé selon son âge, la température extérieure...

⚘ Pour vous-même

- L'allaitement vous permet de retrouver le poids que vous faisiez avant la grossesse plus facilement.
- Il vous garantit une infertilité naturelle si vous allaitez 10 à 12 fois par jour et que l'espace entre deux tétées n'excède pas quatre heures (facile à réaliser lorsque vous allaitez à la demande et de façon exclusive les premiers mois).
- Il amenuise les risques de contracter certains cancers (notamment du sein et des ovaires).

En savoir plus

Ouvrages

Micheline Beaudry, Sylvie Chiasson et Julie Lauzère, *Biologie de l'allaitement : le sein, le lait, le geste*, Presses de l'université du Québec, 2006 (pour toutes les références liées aux études prouvant les bienfaits de l'allaitement).

Claude Didierjean-Jouveau, *L'Allaitement maternel : La voie lactée*, Jouvence, 2003.

Claude Didierjean-Jouveau, Martine Laganier, *Maman bio : Mon bébé de 0 à 2 ans*, Eyrolles, 2008.

Associations

Leche League France : www.lllfrance.org
Tél. : 01 39 58 45 84

Pour une liste complète des autres associations : www.coordination-allaitement.org

Les bienfaits psychologiques

- Le lien entre vous et votre bébé est renforcé.
- Votre bébé se nourrit aussi pour son réconfort et son plaisir.
- Vous avez la fierté de voir grandir votre enfant exclusivement grâce à votre lait.
- Allaiter vous permet d'être toujours à proximité de votre petit.

Les règles d'or pour un allaitement réussi

- Informez-vous durant la grossesse et achetez au moins un livre sur l'allaitement.
- Un accompagnement global avec une sage-femme permet d'établir un lien de confiance mutuelle et une aide très précieuse durant son établissement.
- Un accouchement physiologique.
- Un contact immédiat avec votre bébé, peau contre peau.
- Laissez-vous guider par les besoins de votre bébé et laissez-le prendre le sein dès qu'il est prêt.
- Prenez le temps de bien le positionner afin qu'il prenne suffisamment de tissu mamellaire dans sa bouche et qu'il tète efficacement.
- Gardez votre bébé près de vous dans votre chambre et donnez-lui le sein à la demande ; il connaît mieux que quiconque ses besoins.
- Demandez de l'aide si besoin est et n'hésitez pas à contacter la Leche League ou une autre association soutenant l'allaitement.

chapitre 4

Ma préparation
à la naissance

Votre corps est tout à fait capable de donner naissance à un enfant naturellement. Si vous deviez accoucher sans aucune aide physique ou psychologique, dans la plus grande majorité des cas, votre corps suivrait instinctivement son rythme et vous trouveriez les positions adéquates pour mener à bien ce parcours incroyable qu'est celui de mettre au monde un enfant. L'être humain est le seul être vivant à remettre en cause sa capacité à accomplir cet acte naturellement.

De la même manière qu'il pensait faire mieux que la nature en fabriquant des machines, des médicaments et autres produits chimiques, l'homme a mis en place tout un processus afin de contrôler et d'assurer une naissance plus sécurisante pour la femme et son bébé.

Il est vrai que les technologies modernes, tout comme la médecine, ont fait des «miracles» et sauvé des vies. Néanmoins, ses abus en ont également brisé et traumatisé bien d'autres...

Mes appréhensions

Vos appréhensions face à l'accouchement peuvent survenir à n'importe quel stade de la grossesse et ce jusqu'à l'accouchement même.

Si vous attendez un enfant pour la première fois, la peur de l'inconnu en sera peut-être la source. Il y a deux façon d'opérer : soit vous décidez de suivre votre instinct primal et de croire en vos capacités à mettre au monde un enfant (après tout, beaucoup d'autres femmes l'ont fait avant vous, pourquoi pas vous ?), soit vous décidez de vous informer.

Mes traumas

Si ce n'est pas votre première grossesse et que vous avez difficilement vécu la ou les naissances précédentes, je vous conseille d'en discuter avec votre sage-femme ou votre médecin. Ils vous guideront peut-être vers une autre personne qui pourra vous soutenir, vous aider à surmonter ce ou ces traumas afin que vous ayez le temps de guérir ou de soulager ces plaies. Ne surestimez pas le pouvoir de l'émotionnel sur le déroulement de votre accouchement. Ne vous privez pas non plus de cette aide si vous pensez en avoir besoin : vous le méritez.

Si vous n'avez jamais suivi de thérapie, n'attendez plus. Cette souffrance intérieure peut avoir des répercussions difficiles lors de la naissance, mais également limiter votre capacité à vous épanouir dans votre rôle de mère.

> **❝ Elles le vivent**
>
> «Lorsque j'ai commencé ma thérapie, ça a été très difficile. Cette deuxième naissance a été en quelque sorte thérapeutique. Elle m'a permis de recevoir ma fille avec un tout autre regard; celui d'une maman qui avait toute foi en ses capacités à répondre au besoin de son enfant.» Catherine.

La peur de ne pas être à la hauteur

Nous vivons à une époque où l'information est si accessible et si ample que nous sommes noyées par toutes les conceptions, si différentes soient-elles, pour vivre au mieux une grossesse; chaque philosophie nous promettant d'être «la meilleure des mamans». Il est pourtant tout à fait naturel d'avoir peur de mal faire et de douter de ses capacités. Seul remède : écoutez votre cœur, lui seul sait ce qui est bon pour vous et votre bébé.

Ne cherchez pas non plus à obtenir la recette parfaite pour la naissance de votre bébé car elle n'existe probablement pas. Il faut vous rappeler que votre expérience sera le reflet de votre vie à ce moment précis. Vivez votre grossesse et la naissance de votre bébé aussi pleinement et honnêtement que vous le pouvez. Suivez votre cœur dans vos démarches, faites des choix en fonction de ce qui est important pour vous et non pour votre entourage, et ayez foi en votre capacité à donner la vie.

La douleur

Il est tout à fait humain d'avoir peur de la douleur éprouvée par l'accouchement. Les médias et les témoignages bienfaisants de votre entourage n'auront sans doute pas apaisé cette peur. Avez-vous déjà vu un film où l'accouchement se déroule tout à fait naturellement et sans drame? Avez-vous entendu des récits d'accouchements où la maman décrit son expérience comme positive, inoubliable ou même extatique? Peu probable! La Bible nous rappelle que la femme doit enfanter dans la douleur et nous n'avons de cesse depuis un siècle de mettre en place des procédés réduisant, contrôlant ou éliminant totalement la douleur de la naissance.

Je vous propose de regarder la douleur comme votre meilleure amie et non votre pire ennemie. Dans votre quotidien, vous n'aimez certainement pas avoir mal, et pourtant, la durée et l'intensité de votre douleur vous donne instinctivement une idée de la gravité de votre mal. Lors de l'accouchement, la douleur est une des premières sensations qui vous indiquera le commencement du travail. Tout au long de celui-ci, elle vous guidera dans votre progression. Lors d'un accouchement naturel, vous êtes en mesure de supporter la douleur, et ce d'autant plus si vous avez le soutien qu'il vous faut et le minimum d'interférences. Lors d'un accouchement qui ne se déroule pas normalement, la douleur deviendra beaucoup moins gérable; ce qui pourra également vous aider à demander le soutien nécessaire.

Savez-vous que...

Votre corps vous aide tout naturellement en libérant des endorphines (hormones dont le but est de réduire la douleur et de vous mettre dans un état plus ou moins «dopée»), vous laissant ainsi mener par les contractions au lieu de les contrôler.

Mon bébé

ꙮ La position et les différentes présentations du bébé

Position antérieure droite

Position postérieure gauche

La position optimale

La position du bébé est surveillée durant votre grossesse et votre accouchement. On parle de sa présentation. Idéalement et dans la grande majorité des cas, votre bébé se présente la tête en bas ; son dos sur la partie gauche ou droite de votre abdomen et parfois en fin de grossesse et pendant le travail, son dos au milieu de votre ventre, son ventre face à votre colonne vertébrale : c'est la présentation gauche ou droite antérieure.

Parfois, le bébé peut décider de se présenter de la même façon, mais son dos est plus incliné vers l'intérieur de votre abdomen ou même complètement contre votre colonne vertébrale, son ventre et sa tête vous font face : c'est la présentation gauche ou droite postérieure ou « occipito-sacrée ». Si votre médecin ou votre sage-femme observe cette position en fin de grossesse, il ou elle vous encouragera à adopter des positions qui aideront votre bébé à bouger pour se présenter antérieurement. Il est en effet souhaitable de l'éviter ou de savoir que faire car cette présentation postérieure est associée à des accouchements plus longs, plus difficiles et qui nécessitent parfois une assistance obstétricale (forceps, ventouse, césarienne). Cependant, il se peut que malgré tous vos efforts, votre bébé adopte cette position lors de l'accouchement. Selon une étude finlandaise, 87 % des bébés retrouvent la position optimale avant de naître[24].

Comment favoriser la position optimale ?

Le dos de votre bébé étant la partie la plus lourde de son corps, votre position peut l'entraîner idéalement vers l'avant, mais aussi vers l'arrière de votre abdomen.

• Évitez les positions où vous vous inclinez en arrière ou placez un coussin en bas du dos pour maintenir votre abdomen vers l'avant.

• Évitez de croiser les jambes.

• Préférez les chaises aux canapés ou asseyez-vous en tailleur ou sur une balle suisse (très utile pendant le travail pour maintenir une bonne position et ouvrir votre bassin).

• Passez du temps assise au sol ; agenouillez-vous sur un pouf (le pouf est aussi très pratique lors de l'accouchement).

• Dormez sur le côté et non sur le dos, même avec le soutien d'un coussin.

• Pratiquez des exercices à quatre pattes (arquez le dos comme un chat, puis remettez-le droit comme une planche ou déhanchez-vous).

• Si vous soupçonnez votre bébé d'être en position postérieure, évitez de vous accroupir pour ne pas encourager son engagement dans votre bassin.

Mon bébé se présente en siège

Votre bébé a décidé de garder la tête en haut et les fesses dans votre bassin, environ 3 à 5 % des naissances. Cette présentation par le siège peut se dérouler de trois façons :

- les fesses se présentent en premier et les jambes sont recroquevillées en tailleur ;
- les jambes sont en extension le long de son corps (cas le plus fréquent) ;
- les jambes sont allongées et les pieds se présentent en premier (cas beaucoup plus rare).

Position du siège la plus courante

Le plus souhaitable serait d'encourager votre bébé à se positionner correctement. Voici ce que Maggie Banks, sage-femme néo-zélandaise[25], nous conseille.

Une bonne relation avec votre bébé

Visualisez votre bébé dans la bonne position et parlez-lui. Expliquez-lui l'importance d'avoir la tête en bas pour sa naissance. Vous pouvez aussi utiliser une torche pour éclairer le petit bassin en lui disant que c'est par là qu'il doit diriger sa tête. Les bébés sont à l'écoute de leur maman !

De l'exercice

Le but est d'utiliser la gravité afin d'encourager votre bébé à tourner. Voici les exercices les plus souvent conseillés : mettez un coussin sous vos fesses afin de vous surélever ; allongez-vous sur le ventre, pliez les genoux et levez les fesses.

Le massage

Vous pouvez encourager votre bébé en le massant doucement, en lui indiquant le parcours à suivre pour qu'il se mette dans la bonne position.

L'homéopathie

Pulsatilla 200 CH, deux doses, espacées de deux jours à partir de 35 semaines d'aménorrhée.

L'acupuncture

Il est souhaitable de consulter un acupuncteur.

La version par manœuvre externe

C'est une technique qui permet de bouger le bébé de l'extérieur. Elle ne peut être effectuée que par un professionnel expérimenté (obstétricien ou sage-femme) et de préférence à l'hôpital.

L'ostéopathie peut corriger la position siège dans certains cas, en rétablissant un déséquilibre corporel existant chez la maman. Le bébé peut alors adopter une position optimale.

Cependant, si malgré tous vos efforts votre bébé reste en siège, il faut vous rendre à l'évidence : il préfère cette position.

Vous devez alors choisir votre mode de naissance : vaginale ou césarienne. On peut en effet accoucher par voie vaginale mais il peut être plus difficile de trouver la personne qui vous soutiendra dans ce choix ; surtout si vous ne rentrez pas dans leurs critères (poids et diamètre de la tête de votre bébé, radiopelvimétrie de votre bassin et présentation de votre bébé satisfaisantes). Une étude canadienne récente[26] a montré qu'il était préférable d'accoucher par césarienne. Cependant, elle a été largement critiquée depuis pour ses défaillances. Il en résulte que, si l'accouchement physiologique est respecté, accoucher d'un bébé se présentant en siège n'est pas plus risqué vaginalement que par césarienne.

> ❝ Parole d'expert
>
> « Dans certaines situations il est impératif de s'écarter le moins possible du modèle physiologique. C'est le cas des accouchements par le siège. Un accouchement par le siège n'est pas dangereux lorsque la phase de dilatation a été facile et suivie d'un puissant réflexe d'éjection. (…) L'important est de garder à l'esprit les besoins fondamentaux de la femme qui accouche et de savoir concilier le besoin d'intimité et le besoin de se sentir en sécurité. » Michel Odent[27], obstétricien.

⚘ Les autres présentations

Votre bébé peut aussi se présenter « par face », la tête en extension présente son visage en premier (cas plus rare, mais non dangereux). Les autres présentations, en transversale, présentant l'épaule ou alors le front, nécessitent une césarienne.

❧ La relation avec mon bébé

La relation avec votre bébé est très naturelle et importante dans le déroulement de votre préparation à la naissance. Vous êtes deux à vivre ce parcours. Tout ce que vous ressentez et tout ce que vous dites sera perçu et entendu par votre bébé.

Vous pouvez renforcer cette connexion par le biais de l'eau, du chant prénatal, par la visualisation et l'haptonomie.

Mon accompagnement professionnel

En France, vous avez plusieurs choix en ce qui concerne cet accompagnement : votre médecin, votre gynécologue, un obstétricien, une sage-femme, une doula ou personne !

⚘ Votre médecin

Votre médecin peut vous suivre pendant votre grossesse, mais ne pourra pas être présent lors de votre accouchement. Il peut vous conseiller une maternité où des sages-femmes vous soutiendront. Cette option a l'avantage de vous donner un suivi plus personnalisé, surtout si vous vous entendez bien avec votre médecin. Ce n'est peut-être pas le meilleur choix si vous voulez optimiser vos chances d'accoucher physiologiquement car votre suivi ne sera pas global, à moins d'avoir accès à une maternité où l'accouchement naturel est encouragé.

⚘ Le gynécologue

Un gynécologue peut vous suivre durant votre grossesse, mais s'il n'a pas de formation en obstétrique, il ne pourra pas vous assister pour la naissance. Il vous dirigera en cours de grossesse vers une sage-femme qui vous préparera à l'accouchement en maternité. Cette option a les mêmes avantages et inconvénients que celle de votre médecin.

⚘ Le gynécologue-obstétricien

En France, il y a environ 2 000 gynécologues-obstétriciens[28]. Il est d'ailleurs souvent considéré comme l'«accoucheur». Pourtant, il n'existe qu'une seule personne ayant la capacité d'accoucher, la femme enceinte ! Les personnes qui ont le privilège de l'accompagner dans cette expérience unique sont là pour la soutenir et non pour lui donner le sentiment que le travail a été fait par eux. La seule situation où cela est vrai, c'est lors d'une césarienne planifiée où la maman n'a pas commencé le travail. Cette situation doit d'ailleurs être uniquement réservée aux cas d'urgence, en vue de sauver une vie et non pour optimiser un planning professionnel.

L'obstétricien considère la grossesse comme un «état à risque»; un accouchement ne sera dit «normal» que rétrospectivement. Il préfère intervenir «au cas où» et privilégie un accouchement médicalisé. En choisissant cet accompagnant, vous avez plus de risques que les procédures suivantes soient utilisées :

- déclenchement et/ou augmentation de vos contractions par l'intermédiaire d'une perfusion d'hormone synthétique (ocytocine);
- monitoring électronique en continu;
- perfusion;
- examens obstétricaux plus fréquents;
- péridurale;
- immobilisation sur le lit durant le travail et l'accouchement;
- épisiotomie systématique;
- naissance assistée par ventouse, forceps ou césarienne, bien trop souvent causée par les procédures indiquées ci-dessus!

Certains obstétriciens ont une vue plus respectueuse de la naissance. Certains sont même favorables à l'accouchement à domicile. D'autres reconnaissent la limite de leur profession et préfèrent réserver leurs services aux grossesses à risques. Ils laissent aux autres femmes plus de liberté afin d'optimiser leur chance de vivre une naissance physiologique ou les dirigent vers des sages-femmes dans ce même but. Dans le cadre hospitalier, ils travaillent avec des sages-femmes à qui ils délèguent une grande partie des soins et restent présents en cas de nécessité. Malheureusement, ces sages-femmes épousent bien trop souvent une vision médicalisée de la naissance et ne savent pas ou plus soutenir la naissance physiologique.

Si vous choisissez un gynécologue-obstétricien, prenez le temps de lui demander comment se déroulera l'accouchement et quels sont les protocoles (règles de l'hôpital) incontournables. Si sa conception ne vous convient pas, cherchez d'autres options.

L'avantage de cet accompagnant est qu'il vous suivra tout au long de votre grossesse et sera présent dans la limite du possible, le jour de la naissance.

⚓ La sage-femme

Selon l'Association nationale des sages-femmes libérales, les sages-femmes assurent en France plus de la moitié des accouchements[29]. Vous n'avez peut-être jamais été suivie par une sage-femme, mais sachez qu'un lien très fort peut se créer, qu'elle pourra également devenir votre sage-femme, celle qui vous suit pour toutes vos grossesses.

Pourquoi choisir une sage-femme ?

La sage-femme est reconnue comme la « gardienne de la naissance normale ». Son nom anglais *midwife* veut dire « avec la femme ». Pendant bien des siècles, c'était son rôle : être là, accompagner la femme durant sa grossesse, au moment de la naissance et au cours des semaines qui suivent. Peu à peu, son rôle a été réduit à celui d'une infirmière, d'assistante à l'« accoucheur » et non plus à l'« accoucheuse » (la future maman). La profession a depuis peu retrouvé de l'autonomie et de la considération à travers le monde.

La sage-femme croit fermement que si vous êtes en bonne santé et correctement soutenue, vous pourrez donner naissance normalement (par voie vaginale et sans intervention médicale ou de « au cas où »). Elle considère la grossesse et la naissance comme un événement naturel de la vie d'une femme. Sa philosophie est souvent opposée à celle de l'obstétricien.

La sage-femme considère la femme dans son être tout entier. Elle ne vous voit pas seulement comme un corps porteur d'un embryon, puis d'un fœtus et enfin d'un bébé. Elle prend en considération votre environnement physique mais aussi familial, psychologique, émotionnel, culturel et spirituel. Vous ne pouvez pas séparer ces différents états en temps normal et encore moins dans ce moment si sacré qu'est de concevoir, porter et donner naissance à votre bébé.

Une sage-femme assure les consultations avant la conception, les visites durant la grossesse (sept au minimum), les cours de préparation à l'accouchement, l'accouchement et un suivi après la naissance.

Bien sûr, la sage-femme travaille en lien avec les autres professionnels médicaux ou paramédicaux. Elle peut donc, à tout moment, vous diriger vers un médecin généraliste, un gynécologue-obstétricien, ou un autre professionnel, tel qu'un psychologue, une assistante sociale, un ostéopathe, un naturopathe...

🍃 La doula

Profession très récente mais aussi très controversée en France, la doula ne se veut en aucun cas la remplaçante de l'accompagnement médical de la femme enceinte.

Qu'est-ce qu'une doula ?

C'est une femme qui a reçu une formation afin de vous soutenir tout au long de votre grossesse, votre accouchement et durant les premières semaines ou mois de votre bébé. Elle vous offre un soutien moral et physique et un accompagnement global. Elle vous fait bénéficier de son expérience de maman et vous aide à trouver les ressources nécessaires pour vous informer et vous organiser.

En savoir plus
www.doulas.info/ou www.alna.fr

Seul inconvénient

À l'heure actuelle, les services des doulas sont très peu répandus en France et leur coût financier conséquent.

🍃 Aucun accompagnement

En France, il est légal d'accoucher sans accompagnement médical. Ce choix peut être fait lorsqu'une maman ou des parents ne trouvent pas l'accompagnant ou le lieu idéal pour la naissance, en l'absence de sage-femme offrant l'accouchement à domicile ou de maisons de naissance.

Cela signifie que notre système de maternité ne remplit tristement pas le besoin de chacun. Je ne peux pas vous soutenir dans ce choix car, même si les urgences ne sont pas fréquentes, elles peuvent arriver. L'action immédiate d'un professionnel pourra alors être vitale pour vous ou votre bébé. Je vous encourage à discuter avec les personnes offrant le service le plus proche de vos besoins et à argumenter votre projet de naissance avec eux. Demandez-leur pourquoi ils désirent tant que vous vous pliiez à un protocole qui ne vous convient pas ; prenez les devants : informez-vous et informez-les en même temps.

Mon suivi

Mes consultations

Elles sont souvent proposées ainsi :
- une première consultation lorsque vous avez connaissance de votre grossesse et avant la 14e semaine ;
- une consultation mensuelle jusqu'au neuvième mois ;
- des consultations plus rapprochées à partir du troisième trimestre sont parfois proposées dans le cadre d'un accompagnement global et à tout moment, si cela est obstétriquement nécessaire ;
- un suivi après la naissance d'au moins une semaine.

Lors de la première consultation, on vous proposera ou plutôt «imposera» :
- un interrogatoire sur vos antécédents personnels et familiaux et votre mode de vie ;
- un examen médical général complet ;
- un examen gynécologique (seins, col, corps utérin et frottis vaginal) ;

> Savez-vous que...
>
> Bien que cela soit informatif, il n'est pas plus efficace pour prévenir la prématurité ou déceler la majorité des infections vaginales ou cervicales, de faire un examen gynécologique de routine (comprenant l'examen du col et du corps utérin et le prélèvement de sécrétions vaginales pour analyse) avant qu'un risque survienne que de le faire lorsque sont déjà apparus les symptômes. Considérant ces pratiques comme très intrusives, voire traumatisantes, il vous est donc tout à fait possible de les refuser.

- une prise de sang afin de rechercher le groupe sanguin et le facteur Rhésus, la présence d'agglutinine anti-D si vous êtes Rh-, la présence d'anticorps de l'hépatite B, de la toxoplasmose, de la syphilis, du sida, si vous le désirez, du cytomégalovirus, de la varicelle et de la rubéole ;

- la prise de votre pression sanguine afin de dépister l'hypertension;
- la prise de votre poids;
- la prise d'un échantillon d'urine afin de surveiller la présence de sucre et d'albumine associée à certaines complications de la grossesse.

À chaque visite suivante, il vous sera demandé votre pression sanguine, une prise de sang, un échantillon d'urine, une palpation de votre abdomen, une mesure de la hauteur de votre utérus et l'écoute des battements du cœur de votre bébé, un examen du col et du corps utérin et un frottis vaginal.

> ## ❝ Parole d'expert
>
> «Différentes études ont d'ores et déjà montré que le toucher vaginal n'était pas un outil fiable dans le dépistage de l'accouchement prématuré. Il ne devrait pas être systématique, mais réalisé sur signes d'appel (en présence d'autres symptômes : contractions, etc.)[30].»
> Pr Claude d'Ercole, lors des 32e journées nationales de la Société française de médecine périnatale[31], en octobre 2002.

Mes examens

↯ Le diagnostic prénatal

Il consiste à évaluer le bon développement de votre bébé, à dépister les risques d'anomalies et à confirmer ou non ces risques.

Il vous sera proposé :

- *une première échographie* à la 12e semaine d'aménorrhée pour confirmer votre grossesse, la date du terme, la clarté nucale (facteurs de risques pour le dépistage de la trisomie 21) et la présence de jumeaux ;
- une prise de sang afin de déterminer ou non les risques de trisomie 21 et d'anomalie du tube neural ;
- *une deuxième échographie* vers la 22e semaine d'aménorrhée, dite «morphologique» ; la morphologie et les organes de votre bébé seront inspectés pour d'éventuelles anomalies, pour surveiller le bon développement, localiser le placenta et identifier le sexe de votre bébé, si vous le désirez. Vous pouvez aussi laisser place à l'incertitude et au plaisir de le découvrir vous-même le jour de la naissance ;
- l'amniocentèse : cette procédure pratiquée à partir de la 17e semaine d'aménorrhée a pour but de prélever 10 à 20 ml du liquide amniotique présent autour de votre bébé. Elle vous sera proposée si vous risquez de porter un bébé trisomique ou autre anomalie génétique. Cette procédure comporte un risque de fausse couche de 1% et le résultat peut prendre deux à quatre semaines. Il est donc très important de peser le pour et le contre et de réfléchir déjà à ce que vous ferez dans l'éventualité d'un résultat positif ;
- *une troisième échographie* effectuée entre la 32e et la 34e semaine d'aménorrhée afin de confirmer le bon développement de votre bébé, sa présentation et la localisation de son placenta.

Mes échographies

L'échographie est une technique qui permet d'obtenir une image grâce à l'utilisation d'ultrasons.

Elle aide à :

- confirmer ou préciser la grossesse et la date du terme ;
- vérifier ou confirmer une grossesse gémellaire ou une mauvaise présentation du bébé (siège, transversale…) ;
- vérifier ou confirmer l'emplacement du placenta ;
- observer le bébé, son développement et détecter d'éventuelles anomalies.

Il est courant de penser que trois échographies sont obligatoires au cours de la grossesse, alors qu'elles ne sont en fait que conseillées et remboursées par la Sécurité sociale. Il est également répandu que cette technologie ne présente aucun risque pour votre bébé, chose qui n'a pas été prouvée, bien au contraire. C'est une technologie formidable qui a tout à fait sa place si elle est utilisée à bon escient, mais non outre mesure. Vous avez le droit d'être informée sur son efficacité, ses limites et ses dangers potentiels :

- une étude a démontré que, pour les grossesses ne présentant pas de facteurs de risques, l'échographie n'apporte rien de bénéfique au niveau obstétrique[32] ;
- plusieurs études ont remis en cause sa fiabilité à détecter certaines anomalies ou à confirmer la date du terme[33] ;
- d'autres études ont émis des inquiétudes en ce qui concerne la sécurité[34].

Il est surtout très important de se poser la question du pourquoi d'une échographie et du « Que vais-je faire avec cette information ? Cela va-t-il changer ma volonté ou non de poursuivre ma grossesse ? Comment vais-je vivre le reste de ma grossesse et la naissance en connaissance d'un problème ou d'un problème potentiel ? Comment vais-je vivre ma grossesse sans savoir et faire confiance à mon corps et à sa capacité de porter un bébé en pleine santé ? »

Ce sujet du diagnostic prénatal a donné lieu à de nombreux débats où chaque partie défend sa cause avec passion.

> ❝ **Parole d'expert**
>
> «À partir de quel degré d'anomalie ou de handicap une vie ne vaut-elle pas la peine d'être vécue?» nous fait remarquer Claude Didierjean-Jouveau, *Pour une naissance à visage humain*, Jouvence, 2007.

Mon lieu de naissance

Le lieu d'accouchement a un impact sur le déroulement de la naissance de votre bébé et de ce fait, n'est pas à négliger. Trois lieux sont généralement proposés.

⚘ La maternité

En France, la grande majorité des naissances se déroulent dans une structure hospitalière : soit à l'hôpital publique (CHU, CHR), soit dans les cliniques privées (agréées ou conventionnées).

Accoucher en maternité implique que vous vous déplaciez et que vous accouchiez dans une structure inconnue et médicalisée. Chaque structure a ses règles appelées «protocoles», sa philosophie et son équipe. Elles s'attendent à ce que vous en soyez consciente et très respectueuse (même si vous n'êtes pas légalement obligée de vous y résigner). Il est donc très important que vous preniez conscience de ces règles.

Les maternités sont classées en trois niveaux. On pourrait penser que plus le niveau est élevé, plus il est sécurisé. En réalité, plus la structure est grande, plus il y a d'accouchements et plus grand est le pourcentage de grossesses à problèmes. Par précaution, la médicalisation quasisystématique des naissances est pratiquée et vos chances d'accoucher physiologiquement sont minces.

Si vous êtes en bonne santé et que vous voulez accoucher naturellement, optez pour une petite maternité où le personnel pourra mieux vous soutenir et mieux vous écouter.

Savez-vous que...

En France, les maternités sont divisées en trois niveaux :
- niveau 1 : accouchements normaux (sans difficultés prévisibles);
- niveau 2 : grossesses à risque, maternité pourvue d'une unité de néonatalogie;
- niveau 3 : grossesses pathologiques, maternité pourvue d'une unité de réanimation néonatale et d'une unité kangourou.

Les accouchements sans difficultés sont cependant acceptés dans les niveaux 2 et 3.

Quelques questions à poser lors de votre visite dans une maternité

• Qu'est-il prévu en matière de préparation à l'accouchement et qui mène les séances?

• Quel est le taux de naissances assistées (ventouse, forceps ou césarienne)?

• Quel est le taux de péridurales?

• Quel est le taux d'épisiotomies?

• Déclenchez-vous les accouchements systématiquement ou est-il possible d'aller à terme, soit à 41 ou 42 semaines?

• Mettez-vous systématiquement une voie d'accès de perfusion?

• Pourrai-je rester habillée avec mes vêtements?

• Pourrai-je adopter les positions désirées pendant le travail et l'accouchement?

• Pourrai-je boire et manger durant le travail?

• Pourrai-je utiliser la douche ou le bain durant le travail?

• Comment envisagez-vous l'accueil du nouveau-né?

• Aspirez-vous systématiquement le bébé à la naissance?

• Mettez-vous systématiquement le bébé sous couveuse?

• Pourrai-je recevoir mon bébé aussitôt qu'il naît et le temps que je le désire s'il n'y a pas de problème nécessitant une aide médicale urgente?

• Pourrai-je garder mon bébé avec moi tout le temps de mon séjour et lui donner le bain?

• Serai-je soutenue dans mon choix d'allaiter mon bébé?

• Combien de temps devrai-je rester dans votre maternité?

• Mon compagnon pourra-t-il rester avec moi? Sinon quels sont les horaires de visites?

• Si je décide de rentrer chez moi rapidement, pourrai-je avoir des consultations à domicile?

• Est-il possible d'avoir une chambre individuelle?

• Quels sont les frais supplémentaires auxquels je dois m'attendre?

• Mes enfants pourront-ils me rendre visite dès que possible?

⚜ La Maison de naissance

«Une Maison de naissance (MDN) est un lieu d'accueil, de suivi et d'accouchement constituant la pièce maîtresse d'une filière spécifique de suivi de grossesses et destinée aux femmes enceintes et à leur famille, dès lors que la grossesse, l'accouchement et post-partum restent dans le cadre de la physiologie[35].»

Les Maisons de naissance ne sont pour le moment plus en activité, la dernière Maison ayant malheureusement fermé ses portes à Sarlat en 1999.

Elles pourraient être un intermédiaire idéal entre la maternité et le domicile, et les études ont démontré leurs bienfaits pour diminuer la surmédicalisation de la grossesse et de la naissance tout en apportant une expérience positive pour les femmes y accouchant.

⚜ Votre maison

L'accouchement chez vous, appelé aussi «accouchement à domicile» (ADD), dans le confort de votre maison, est jugé encore aujourd'hui par de nombreuses femmes comme archaïque, dangereux voire irresponsable et lié à la marginalité. Ces opinions sont le reflet direct d'une société qui croit les yeux fermés au bien-fondé de la médecine, renforcé par la dramatisation cinématographique de la naissance, la désinformation circulant dans les guides classiques de la grossesse et le discours de la majorité des médecins, gynécologues et obstétriciens.

Pourtant, de nombreuses études épidémiologiques sur l'ADD[36] ainsi que des livres concluent de la même manière : une femme qui ne présente pas de complications durant la grossesse et qui est suivie par une sage-femme ou un médecin lors de son accouchement à domicile ne court pas plus de risques (et son bébé non plus) que si elle donnait naissance à l'hôpital.

L'exemple des Pays-Bas, où un tiers des accouchements se fait à domicile, tout en conservant des taux de périnatalité très satisfaisants, a suscité de nombreuses comparaisons avec notre système de maternités[37].

On oublie généralement de préciser que la sage-femme ou le médecin accompagnant votre naissance ne vient pas les mains vides. Il apporte un kit de naissance comprenant les médicaments et les outils nécessaires à la réanimation d'un nouveau-né, et aux soins d'urgence de la maman (ocytocine, kit de perfusion et bouteille d'oxygène). Il a également un monitoring portatif afin de surveiller le rythme cardiaque de votre bébé. Les praticiens de l'ADD en France sont tout à fait qualifiés et ne tiennent pas à prendre de risques, ni pour vous ni pour votre bébé. Au moindre signe de complication, ils vous transfèrent vers un hôpital plus performant lorsqu'il s'agit de répondre à une naissance devenue alors pathologique. Les études mentionnées ultérieurement sur l'ADD montrent que seules 10 à 15 % des femmes sont transférées lors ou après leur accouchement.

Les avantages

- Cela correspond à votre philosophie si vous pensez que donner la vie est un événement naturel et non un acte médical.
- Votre domicile est plus confortable qu'un hôpital.
- Votre compagnon se sentira probablement plus à l'aise pour vous soutenir.
- Vous pouvez avoir la présence de vos autres enfants s'ils le désirent et la possibilité qu'ils soient accompagnés par une autre personne.
- Vous pouvez recevoir votre bébé en douceur et l'allaiter lorsqu'il est prêt.
- Vous ne serez pas séparée inutilement de votre bébé à la naissance.
- Vous ne serez pas séparée de votre compagnon après la naissance.
- Vous vous sentirez responsable de vous et de votre bébé.
- Vous éviterez toutes procédures médicales non justifiées.
- Vous choisirez une équipe qui vous soutiendra dans votre choix.
- Vous aurez le temps d'établir un lien de confiance avec votre sage-femme ou votre médecin afin d'être mieux soutenue le jour J et les suivants.

En savoir plus

Juliette et Cécile Collonge, *Intimes Naissances : choisir d'accoucher à la maison*, La Plage, 2008.

Elles le vivent

«Après avoir donné naissance à mon premier enfant chez moi, je me souviens avoir remercié ma sage-femme de m'avoir soutenue comme elle l'a fait. Elle me répondit aussitôt : "Remercier pourquoi? Je n'ai rien fait, tu as fais tout le travail, tu étais incroyable!" C'est vrai, je me suis sentie si forte après la naissance, j'avais l'impression que j'étais capable de soulever des montagnes!» Émilie.

Les inconvénients

- Si vous présentez des risques de complication en début de grossesse ou au moment de la naissance, vous ne pouvez pas accoucher à domicile.
- Seuls 60 praticiens offrent ce service ; ce qui limite le nombre de femmes qui peuvent y avoir accès.
- Cette manière d'accoucher intrigue beaucoup : informez-vous bien afin de répondre au mieux aux interrogations des uns et des autres.
- Une fois convertie, vous aurez envie de convertir !

Mes soutiens

Nous vivons actuellement dans une société très personnelle où demander de l'aide est quasi impossible, voire gênant : la famille est souvent éloignée, les amis travaillent, beaucoup d'autres femmes autour de vous se débrouillent seules. Pourtant, si quelqu'un vous demande de l'aide, vous n'hésitez pas. Cela vous fait même plaisir. La personne que vous choisirez pour vous soutenir pourrait ainsi aussi avoir le plaisir de pouvoir vous aider dans ce passage si important de votre vie. Un sage n'a-t-il pas dit un jour : «Pour savoir donner il faut savoir recevoir» ?

Par qui ?

↙ Mon compagnon

Comme beaucoup d'autres hommes, il aura peut-être besoin que vous lui demandiez ce soutien ouvertement et clairement. Peut-être auriez-vous préféré qu'il devine ce dont vous aviez besoin, mais ainsi sont les hommes ! Cependant, dans la majorité des cas, il se fera une joie de vous aider, alors demandez-lui.

🌿 Ma famille

Si c'est votre première grossesse, il va être difficile, voire impossible, d'échapper aux conseils de maman, belle-maman, sœurs, cousines… Si leur philosophie est différente de la vôtre, il faudra vous affirmer sans trop les froisser : après tout, elles ne vous veulent que du bien ! Mais n'oubliez surtout pas qu'il s'agit de votre corps et de votre bébé ; il est donc important de vous faire respecter. Elles peuvent être également une mine de ressources si vous avez des questions ou des inquiétudes.

🌿 Mes amies

Instinctivement, durant votre grossesse, surtout si c'est votre première, vous allez plus facilement vous tourner vers vos amies qui ont des enfants. N'ayez pas peur, ce phénomène est tout à fait normal.

🌿 Mes associations

Explorez les associations de parents sur Internet ! Vous pouvez être soutenue par l'intermédiaire d'un forum ou grâce à une association qui vous convient dans votre localité. Cela peut vous permettre de rencontrer d'autres futures mamans ou des familles qui épousent votre philosophie et vous offrent leur soutien.

En savoir plus
www.wiki.naissance.asso.fr/index.php?pagename=PortailNaissance

🌿 Ma doula

Reportez-vous à la page 106.

Comment ?

Le soutien commence dès la grossesse. Au cours du premier trimestre, vous vous sentez peut-être submergée par des émotions diverses ; en parler vous aidera. Vous vous sentez plus fatiguée et, si vous souffrez de nausées ou de vomissements, vous pouvez vous sentir vraiment mal. Vous éprouvez le besoin de vous reposer.

Si vous avez d'autres enfants, demandez à un membre de votre famille ou à des amies disponibles de venir vous aider, soit à la maison, soit en gardant les enfants quelques heures. Si votre compagnon n'est pas disponible pour vous aider dans vos tâches ménagères, trouvez quelqu'un qui le soit. Si vous pouvez vous le permettre, payer quelqu'un pour quelques heures par semaine peut être salutaire.

Pendant la naissance, avoir quelqu'un en qui vous avez confiance et qui partage votre philosophie est presque primordial. Il vous protégera de toutes les influences et interventions néfastes au bon déroulement de votre accouchement et vous soutiendra moralement et physiquement si vous en éprouvez le besoin.

Dans le cadre d'un accouchement à domicile, il est important de prévoir au moins deux personnes en plus de votre sage-femme, souvent votre compagnon et une femme proche de vous, surtout si vous utilisez une piscine de naissance. Cela leur permet de se relayer si l'accouchement est long. Souvent, le futur papa reste plus ou moins en permanence avec vous, tandis que l'autre personne peut s'occuper des petits détails pratiques ou *vice versa*.

Si vous avez d'autres enfants, prévoyez une personne pour s'occuper exclusivement d'eux, qu'ils soient présents ou non lors du travail ou de la naissance.

Pendant les premières semaines suivant la venue de votre bébé, vous allez être bien occupée et vos heures de sommeil seront hachées et probablement réduites. Vous serez donc naturellement fatiguée. Si vous avez d'autres enfants, ils voudront passer du temps avec vous et la transition de l'arrivée de votre bébé ne sera peut-être pas aussi douce que vous l'aviez rêvée. Bref, vous pouvez prendre le dessus et gérer tout cela toute seule en prenant le risque d'en souffrir physiquement ou émotionnellement au bout de quelques semaines, ou demander et accepter de l'aide! Cette aide peut se traduire par différents petits actes :

- vous apporter des petits plats cuisinés (à congeler si cela vous arrange);
- étendre et repasser votre linge;
- faire le ménage;
- garder vos autres enfants, ne serait-ce que pour un petit tour au parc ou même chez vous si vous le préférez.

Mon plan de naissance

> ❝❝ **Elles le vivent**
>
> « J'ai pris le temps de préparer et rédiger mon plan de naissance. Le jour de mon accouchement, j'ai montré mon plan à la sage-femme qui m'a répondu sèchement : "Dites-moi ce que vous voulez : la péridurale ou non ?" » Rébecca.

L'expérience de Rébecca exprime clairement deux choses : l'importance de bien choisir où vous allez donner naissance et votre accompagnement professionnel. Vous pouvez avoir le plus beau plan de naissance, si vous ne choisissez pas la maternité épousant votre philosophie et si vous n'avez pas avec vous l'accompagnateur professionnel mettant tout en œuvre pour exécuter votre plan, il ne vous sera pas très utile.

Qu'est-ce qu'un plan de naissance?

Le plan de naissance ou projet de naissance est un document préparé durant votre grossesse, dont le but est d'exprimer très clairement vos désirs en ce qui concerne la naissance de votre enfant : ce que vous souhaiteriez avoir ou au contraire éviter.

Il permet d'ouvrir une discussion dans votre couple afin d'exprimer vos désirs, vos attentes, vos angoisses. Il vous encourage également à vous informer afin de convaincre.

Comment le composer?

Pour composer votre plan de naissance, je vous conseille de prendre le temps de vous asseoir et de répondre à ces quelques questions :
- comment imaginez-vous donner naissance?
- où aimeriez-vous accoucher?
- qui aimeriez-vous avoir autour de vous?
- la naissance vous fait-elle peur et pourquoi?

Pour plus d'informations, reportez-vous à «Mes tuyaux pour en savoir plus»!

Après avoir répondu à ces questions, renseignez-vous sur les options possibles dans votre région. Visitez les maternités, rencontrez plusieurs sages-femmes, médecins, gynécologues...

Une fois votre lieu de naissance et votre accompagnateur désignés, votre plan peut être développé; il vous sera toujours possible de le modifier, même le jour J car n'oubliez surtout pas que c'est votre corps, votre bébé, votre expérience.

Mes méthodes douces

Les méthodes répertoriées ci-dessous sont les méthodes plus couramment proposées et elles vous attireront peut-être. Certaines femmes veulent « mettre toutes les chances de leur côté » et d'autres préfèrent s'abstenir complètement car elles ne veulent pas être influencées par une méthode, préférant s'appuyer sur leurs propres ressources. Les deux extrêmes sont aussi valides l'un que l'autre, le plus important étant de faire ce choix avec aisance, sans vous sentir forcée.

Les cours de préparation

Ils sont généralement dispensés par une sage-femme en groupe ou plus rarement individuellement, et leur contenu est souvent très similaire : anatomie, changements physiques, accouchement, péridurale, relaxation, méthodes de respiration et d'allaitement. Les sages-femmes peuvent cependant avoir des approches différentes ; ce qui a un impact sur les informations livrées.

Lorsqu'ils sont donnés dans la maternité par des sages-femmes employées, les cours épousent la philosophie et les protocoles de cette maternité. S'ils sont donnés à l'extérieur par une sage-femme indépendante, ils épousent sa propre philosophie et encouragent plus une naissance naturelle.

Ils comportent environ huit séances remboursées par la Sécurité sociale.

L'haptonomie

« Le contact haptonomique, de qualité thymotactile confirme affectivement l'autre dans le bon qu'il représente, ou peut représenter, l'affermit dans son existence pour établir un état de sécurité de base, afin qu'il puisse s'épanouir et développer son identité, son authenticité propre.[38] »

La première fois qu'une amie m'a parlé de l'haptonomie en m'expliquant ce que cela signifiait, cela m'a attristé : il était évident pour moi que la future maman établissait un contact sensoriel avec son bébé (de même que son compagnon) dès le début de sa grossesse et ce, même si celle-ci était mal vécue. Cependant, si pour certaines femmes l'haptonomie est pratiquée inconsciemment, il y a, pour d'autres, un réel désir de découvrir ou d'approfondir ce contact et ce lien qui se tissent entre elles et leurs bébés. Lorsque que leurs compagnons participent aux séances, cela est doublement bénéfique : non seulement, les couples se rapprochent durant leur préparation à la venue de leur enfant, mais c'est aussi l'occasion pour le papa d'apprendre à tisser des liens avec son enfant dès le début de la grossesse.

Catherine Dolto considère l'haptonomie comme un outil essentiel dans le développement d'une meilleure société, où la relation établie entre les parents et leur enfant dès la grossesse promeut des bases pour un parentage plus sain.

Le chant prénatal

Michel Odent, chirurgien obstétricien, pionner dans le domaine de la «naissance humaine», avait déjà exploré, avec son équipe de sages-femmes, les bienfaits du chant prénatal dans la petite maternité de Pithiviers dont il était responsable dans les années 1970-1980.

L'Association française du chant prénatal explique les quatre buts de cette méthode :

- le bien-être général ;
- l'affinité avec votre bébé renforcée par la communication musicale ;
- un outil supplémentaire pour bien vivre la naissance (respiration, relaxation...) ;
- l'intégration du chant dans votre vie quotidienne.

Il n'est pas nécessaire d'être une diva pour bénéficier de cette méthode. Le bien-être que vous procure le chant vous permet d'écarter toute inhibition.

La préparation dans l'eau

Vous connaissez les bienfaits de la piscine et de la natation. En plus du bien-être physique procuré par l'eau, on peut considérer la préparation dans l'eau comme une méthode de préparation à la naissance : la natation permet de tonifier vos muscles, c'est un bon exercice pour la respiration qui aide à la détente.

66 Parole d'expert

«Ce complément de préparation à la naissance, qui est en train de se développer, procure un véritable bienfait. Certaines structures associatives financent ces ateliers pour qu'ils soient accessibles gratuitement aux intéressées ; quelques sages-femmes l'incluent dans leurs cours de préparation à la naissance.» Marie-Anne Sévin, animatrice.

Les ateliers

⚘ Sophie Gamelin

Sophie Gamelin, consultante périnatale, organise un atelier autour du thème « projet de naissance ». Il a pour but de vous informer afin de déterminer ou de confirmer ce qui est important à vos yeux pour la naissance de votre bébé. Il définit toutes les normes acceptées par la majorité des gens à ce sujet. Si vous voulez vivre votre grossesse et votre accouchement autrement, cet atelier vous donnera les outils pour le faire. Il a lieu à son domicile, à Libourne, en Gironde.

⚘ Bernadette de Gasquet

Bernadette de Gasquet, médecin et professeur de yoga, propose des cours de préparation à la naissance selon sa méthode, l'APOR de Gasquet. Les séances organisées à Paris ne sont pas remboursées par la Sécurité sociale. Elles sont aussi utiles pour la grossesse que lors de l'accouchement ou durant la période postnatale. Sa méthode étant instruite dans certaines maternités et ouverte aux sages-femmes, vous pouvez demander à votre accompagnant et à votre maternité s'ils la pratiquent.

Les cours englobent le travail de respiration, les positions pour le travail et la naissance, les étirements et le travail du périnée.

⚘ Michel Odent

Michel Odent, obstréticien, organise des stages en compagnie de son assistante Liliana (doula) sur le métier de doula, mais également pour les futurs parents à travers la France.

⚘ Max Ploquin

Max Ploquin est un médecin gynécologue accoucheur psychologue également formé en haptonomie. Comme Michel Odent, il a su se démarquer en fondant la maternité Montaigne, à Châteauroux. Il propose des stages d'information et de soutien pour préparer les futurs parents à la naissance.

Mes tuyaux pour en savoir plus

Ouvrages

Isabelle Brabant, *Vivre sa grossesse et son accouchement*, Chronique sociale, 2003.

Paloma Chaumette, *Parents et Sage-femme : l'accompagnement global, Rencontres sur le chemin de la naissance*, éditions Yves Michel, 2005.

Claude-Suzanne Didierjean-Jouveau, *Pour une naissance à visage humain*, Jouvence, 2007.

Sophie Gamelin-Lavois, *Préparer son accouchement : Faire un projet de naissance*, Jouvence, 2006.

Sophie Gamelin-Lavois, *Accoucher en sécurité : plaidoyer pour choisir une naissance plus naturelle*, Vivez soleil, 2004.

Sophie Gamelin-Lavois, Martine Herzog-Evans, *Le Droit des mères : La grossesse et l'accouchement*, L'Harmattan, 2003.

Barbara Harper, *Choisir son accouchement*, Vivez soleil, 1996.

Frédérik Leboyer, *Célébrer la naissance*, Seuil, 2007.

Anne-Marie Mouton, *Accompagner votre grossesse : avec une sage-femme*, Josette Lyon, 2005.

Michel Odent, *Césariennes : questions, effets, enjeux*, Le Souffle d'Or, 2005.

Michel Odent, *Le Fermier et l'Accoucheur : l'industrialisation de l'agriculture et de l'accouchement*, Médicis, 2004.

Michel Odent, *L'Amour scientifié : les mécanismes de l'amour*, Jouvence, 2001.

Michel Odent, *Votre Bébé est le plus beau des mammifères*, Albin Michel, 1990.

Blandine Poitel, *Les 10 Plus Gros Mensonges sur l'accouchement*, Dangles, 2006.

Shirley Rivet, *Sans Risque ni péril : plaidoyer pour l'accouchement à la maison*, Remue-ménage, 2005.

Martine Texier, *Accouchement, naissance : un chemin initiatique*, Le Souffle d'Or, 2002.

Martine Texier, *L'Attente sacrée, 9 mois pour donner la vie*, Le Souffle d'Or, 2001.

Sites Internet

www.naissance.ws – www.perinatalite.info – www.projetdenaissance.com
www.ordre-sages-femmes.fr/actualites/communiques08/commui08-13.htm
http://afar.naissance.asso.fr/ – http://accoucheradomicile.chez-alice.fr/
http://accoucherautrement.free.fr/index.htm

Préparations et stages

www.chantprenatal.fr – www.haptonomie.org – www.hypnonatal.com
www.maxploquin.info – www.degasquet.com – www.paramadoula.com

chapitre 5

La naissance de mon bébé

Cela peut vous paraître contradictoire mais, après toute cette préparation physique et psychologique, le meilleur conseil qui me vient à l'esprit pour la naissance de votre bébé est de tout oublier et de vous laisser porter par les vagues rythmiques de vos contractions, enivrée par le cocktail hormonal que votre corps vous offrira ce jour-là. Votre corps sait comment enfanter, même si c'est la première fois, de la même façon que votre bébé saura prendre sa première respiration lorsqu'il en aura besoin ; ayez confiance en vous deux.

Néanmoins, afin de mieux vous protéger, vous et votre bébé, de toutes ces interventions si souvent inutiles, voire parfois néfastes, au bon déroulement de la naissance, il est important de vous informer.

Mes derniers jours de grossesse

Mes derniers préparatifs

La maternité

Pour le travail

Prévoyez :

- des vêtements confortables pour être à l'aise ;
- des paréos qui peuvent très rapidement apporter un look plus personnel ;
- un brumisateur d'eau ;
- une bouillotte et sa protection ;
- un petit seau avec couvercle ;
- des pailles pour boire ;
- votre kit homéopathique (voir en fin de chapitre) ;
- un lecteur de CD et une présélection de CD ;
- un brûleur d'huiles essentielles électrique et quelques huiles sélectionnées.

Pour le séjour

Prévoyez :

- vos papiers : notes ou carnet de maternité, carte Vitale, carte de groupe sanguin, livret de famille ou carte d'identité ;
- des vêtements confortables et pratiques pour l'allaitement : deux soutiens-gorge, une robe de chambre, des chaussons, des culottes en coton ;
- des serviettes hygiéniques de maternité ;
- une trousse de toilette ;
- une crème pour les crevasses des seins, bio de préférence et sans parfum ;
- trois petites serviettes de bain et trois gants de toilette ;
- un appareil photo et une caméra vidéo ;
- votre livre sur l'allaitement ;
- quelques en-cas et des aliments nutritifs, tels que du pollen et des fruits secs, des tisanes, des laits végétaux…

Pour votre bébé

Prévoyez :

- des vêtements en fibres naturelles et de préférence, en coton bio ; c'est la première fois qu'il va s'habiller, gâtez-le. Prévoyez un body, une brassière, une grenouillère, des chaussons et un bonnet. Pour les jours suivants, prévoyez suffisamment de tenues, les fuites sont fréquentes ;
- deux langes pour l'envelopper ;
- une petite couette ou couverture douce pour l'envelopper autour de vous au moment du peau à peau ;
- des couches : vous avez le choix entre les couches jetables (préférez-les écologiques) ou les couches en coton jersey tellement plus douces pour les fesses de votre bébé. Prenez le temps d'y réfléchir. Les couches en coton sont économiques et écologiques ; de nombreux progrès ont été réalisés quant à leur look et leur efficacité.

> **En savoir plus**
> Pour plus d'informations sur les couches et les vêtements écologiques pour bébé, rendez-vous sur www.femininbio.com.

> **❝ Elles le vivent**
>
> « Pour moi, choisir les couches en coton bio n'est pas seulement un geste écologique, je trouve aussi cela plus doux pour mon bébé. » Louise.

🍂 L'accouchement à domicile

Même si vous planifiez d'accoucher chez vous, il est bon de préparer un petit sac pour l'éventuel transfert, avec l'essentiel pour un jour. Cela vous évitera qu'une autre personne soit obligée de fouiller dans vos affaires personnelles.

Votre sage-femme peut vous donner des conseils, mais la liste est en général identique à celle de la maternité.

Pour le travail

Prévoyez en plus :

- un tapis de protection ;
- un chauffage pouvant être mobile et réchauffer des serviettes de bain ;
- de nombreuses serviettes de bain ;
- une piscine spéciale naissance si vous désirez accoucher dans l'eau (voir la section «Accoucher dans l'eau») ;
- des glaçons ;
- des bougies non parfumées (de nombreuses femmes ne supportent pas les odeurs fortes durant le travail).

Pour vous aider

Prévoyez :

- le ballon suisse ;
- le pouf ou un coussin à billes pour trouver de bonnes positions.

Pour la garde de vos autres enfants

- Organisez ou confirmez vos arrangements.
- Assurez-vous plusieurs solutions.
- Optez pour des personnes joignables jour et nuit.

La mise en route du travail

Malgré notre grande curiosité à ce sujet, nous n'avons pas encore compris ce procédé dans toute sa complexité. Visiblement, plusieurs événements entrent en action pour permettre au travail de se déclencher :

- le changement hormonal dans votre corps en fin de grossesse avec l'augmentation des œstrogènes encourageant l'ocytocine à contracter votre utérus ;
- l'ocytocine déclenche la production des prostaglandines afin de mûrir votre col pour la dilatation ;
- le changement hormonal dans le placenta de votre bébé encourage également ce procédé ;
- vous, la maman, et votre volonté d'enfanter ;
- votre bébé et sa volonté de naître.

☘ Le post-terme

Le terme est la période où votre bébé doit naître afin d'optimiser son bien-être à la naissance, soit entre 37 et 42 semaines d'aménorrhée complètes. En dehors de cette période, il peut avoir besoin d'assistance médicale. Heureusement, la grande majorité des bébés naissent à terme, surtout si la mère est en bonne santé, a une bonne hygiène de vie et ne souffre d'aucune complication obstétricale.

De nombreuses femmes considèrent le terme comme étant la date prévue et se considèrent post-terme dès le lendemain de cette date. Trop d'accompagnants médicaux dramatisent cette période et préfèrent être proactifs, sans forcément bien informer leurs patientes des risques d'un accouchement déclenché ou d'une trop longue attente.

Les conseils et recommandations diffèrent d'une personne à l'autre, mais voici pour votre information ceux de la Haute Autorité de santé (HAS) au sujet des risques associés à une grossesse prolongée chez une femme en bonne santé : « Le risque de mort fœtale *in utero* passe de 1 pour 3 000 grossesses à 37 semaine d'aménorrhée, à 3 et 6 pour 3 000 grossesses à 42 et 43 semaines d'aménorrhée. La mortalité néonatale présente, elle aussi, une augmentation similaire.[39] »

Voici les recommandations qu'elle donne :

- «si la femme enceinte n'a pas accouché à 41 SA + 0 jour, il est recommandé d'initier une surveillance fœtale toutes les 48 heures (...) ;
- en l'absence d'accouchement à 41 SA + 6 jours, il est recommandé de réaliser un déclenchement, éventuellement précédé d'une maturation cervicale par prostaglandines ;
- il est possible de réaliser un déclenchement à partir de 41 SA + 0 jour, à condition que le col soit favorable, et d'en avoir informé la femme enceinte et obtenu son accord. Cette attitude peut être motivée par une impossibilité de surveillance régulière, une demande de la femme enceinte ou une nécessité d'organisation des soins.[40]»

Le déroulement du déclenchement médical

Il se déroule comme suit :

- bilan de santé pour vous et votre bébé ;
- examen du col utérin et de sa disposition à être «aidé» ;
- si la poche des eaux peut être percée, elle le sera. Sinon, un gel de prostaglandine sera inséré afin de mûrir votre col ;
- si ces deux événements déclenchent le travail, il est à espérer que votre accouchement suive son cours physiologiquement ;
- sinon, une perfusion d'ocytocine de synthèse vous sera proposée afin de déclencher les contractions ; ce qui peut entraîner un déroulement beaucoup plus médicalisé de votre accouchement.

Les risques et les conséquences du déclenchement médical

Ces risques sont d'autant plus importants qu'il s'agit de votre premier accouchement ou que le déclenchement a lieu avant la date prévue et le terme :

- l'accouchement ne commence pas physiologiquement et risque de ne plus l'être après ;
- les contractions sont souvent plus douloureuses, surtout si la perfusion est faite ;

- la péridurale est souvent demandée ;
- la cascade d'interventions est plus fréquente (une intervention en amène souvent une autre car plus on interfère avec le travail, moins votre bébé et vous-même arrivez à faire face) ; d'où un risque plus élevé de naissances assistées.

D'autres méthodes plus douces

D'autres méthodes peuvent déclencher le travail. Il est recommandé de consulter un professionnel ayant de l'expérience dans ce domaine et d'en informer votre sage-femme ou votre médecin qui peut vous guider ou surveiller les effets. En voici quelques-unes :

- la réflexologie ou l'ostéopathie, en stimulant la glande hormonale « mère » : l'hypophyse ;
- l'acupuncture : généralement trois séances sur une semaine ;
- l'homéopathie : *calophyllum 30 CH*, à prendre jusqu'au début du travail ;
- la phytothérapie ;
- le toucher vaginal effectué par votre sage-femme ou votre médecin afin de stimuler la poche des eaux de votre bébé pour qu'elle sécrète des prostaglandines.

Si vous pensez être angoissée, voire traumatisée à l'idée d'accoucher, parlez-en à votre compagnon ou à votre accompagnant professionnel.

⚘ L'attente

Les dernières semaines avant la date prévue et les jours suivants peuvent être difficiles à vivre. Vous avez hâte de rencontrer votre bébé et le monde entier vous le rappelle.

Voici quelques suggestions pour passer le temps agréablement :

- profitez de votre compagnon : repas aux chandelles, pique-nique...
- profitez de vos enfants : organisez des sorties ou des balades avec eux ;
- faites-vous plaisir : massage, soins cosmétiques, cinéma, théâtre...

✿ Les premiers signes

Ils ne sont pas tous présents ou remarqués et n'apparaissent pas toujours dans cet ordre :

- une irrésistible envie de tout ranger et nettoyer ;
- des séries de petites contractions ;
- la perte du bouchon muqueux (perte de sang accompagnée de glaire) ;
- la sensation que votre bébé est si bas qu'il va sortir tout seul ;
- des douleurs cervicales semblables à celles des règles sans forcément avoir de contractions, preuve que votre col se prépare ;
- des douleurs en bas du dos ;
- la poche des eaux se perce avant le travail.

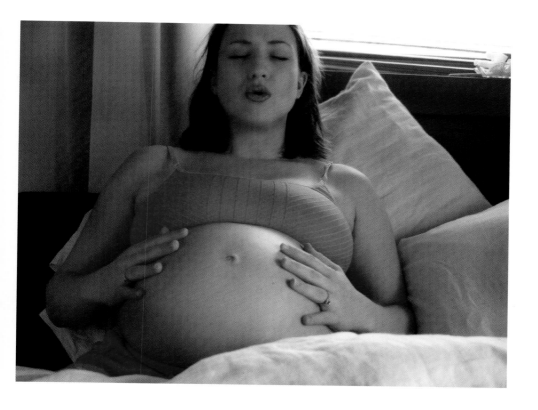

Mon accouchement physiologique

Le cocktail hormonal

Il est important de ne pas sous-estimer le rôle des hormones afin de protéger leurs actions et de ne pas perturber la naissance.

Sarah Buckley, australienne et docteur en médecine générale, propose de regarder le fonctionnement des hormones suivantes : l'ocytocine, les beta-endorphines, les catécholamines et la prolactine. L'explication qui va suivre est inspirée de son discours étayé par de nombreuses études.

L'ocytocine

L'ocytocine est aussi connue sous l'appellation de «hormone de l'amour» car elle est libérée lors des rapports sexuels, au moment de la naissance, au cours de l'allaitement ou dans des moments de pur bonheur. Durant la naissance, elle est responsable des contractions utérines; elle est sécrétée graduellement afin de vous habituer à l'intensité de vos contractions, physiquement et psychologiquement.

Votre bébé libère également cette hormone. Il vous la transmet grâce au placenta. Un pic d'ocytocine survient juste avant l'expulsion, pour la faciliter en toute sécurité. Ce procédé est alors favorisé par une augmentation subite d'adrénaline, qui procure une grande vitalité. Enfin, après la naissance, le niveau d'ocytocine «explose» au regard, au toucher et à la tétée de votre bébé. Cette explosion permet à votre utérus de continuer à se contracter pour vous aider à donner naissance au placenta et éviter l'hémorragie. À ce moment, votre bébé produit lui aussi cette hormone, afin de vivre cet amour en symbiose avec vous. Ensuite, c'est à travers votre lait et votre amour que l'ocytocine lui parviendra.

⚘ Les endorphines

Les endorphines sont des opiacés naturels (de la même famille que l'opium) qui sont sécrétées par votre corps durant votre travail pour vous aider à supporter l'intensité de vos contractions, laisser tomber toute inhibition et retrouver votre instinct primitif. Vous avez bloqué l'accès à votre néocortex (partie du cerveau qui pense et analyse) et ouvert celui du cortex (autre partie plus primitive), vous vous laissez aller et utilisez tous les sons et toutes les positions que votre corps vous indique ; vous vivez votre naissance pleinement et naturellement.

⚘ Les catécholamines

Les catécholamines (adrénaline et noradrénaline) sont sécrétées lorsque le néocortex est stimulé, soit par une question, une lumière, une peur ou un changement subit (tel que le départ pour la maternité), soit parce que la dilatation est complète. Vous avez alors besoin d'être présente et active pour pousser votre bébé.

⚘ La prolactine

Enfin, la prolactine ou «hormone maternelle» est sécrétée dès la naissance pour vous soutenir dans votre rôle de maman. Associée à l'ocytocine et l'endorphine, elle vous rend plus calme et submergée d'amour pour votre bébé.

> **❝ Elles le vivent**
>
> «Lorsque mon bébé est sorti et que la sage-femme l'a posé sur moi, il est venu de lui-même se nicher contre mon cou.» Rose.

La loi du sphincter

Ina May Gaskin, sage-femme de renommée internationale, nous décrit dans son dernier livre ce qu'elle a nommé «la loi du sphincter». Elle nous rappelle que le col utérin est un sphincter, tout comme celui de notre vessie et de notre rectum. De ce fait, il a les mêmes fonctions (se dilater et s'ouvrir pour permettre le passage).

Il est très intéressant d'étudier les conditions pour que cette dilatation soit possible et facilitée :

- l'intimité (solitude ou familiarité) : vous préférez être seule pour faire vos besoins ;
- la gravité : avez-vous déjà essayé de passer vos selles allongée ? D'où l'importance de pouvoir adopter les positions qui vous conviennent lors du travail et de la naissance ;
- la sécurité : vous ne pouvez laisser agir votre sphincter, si vous sentez que vous allez être interrompue dans le procédé ;
- la tranquillité, qui va de pair avec l'intimité ;
- le rire, qui peut aider ;
- le souffle profond et lent, efficace si vous sentez que ce qui vient est plus important que ce vous pensiez ;

Ce qui fait que cette dilatation peut être inhibée ou arrêtée :

- il est très difficile d'ouvrir votre sphincter, lorsque l'on vous donne des ordres tels que «Poussez!», «Relâchez!», «Détendez-vous!» ;
- vous avez peur, vous vous sentez angoissée ou humiliée ;
- tout ce qui va dans le sens contraire des conditions précédemment exprimées.

Cette analogie est très utile car plus parlante pour vous ou votre compagnon : si vous lui expliquez l'accouchement ainsi, il pourra mieux comprendre comment vous soutenir et vous protéger.

Ne pas perturber la naissance

Considérant le délicat rôle des hormones et la loi du sphincter, il est impératif de ne pas perturber ce procédé si parfaitement conçu qu'est la naissance. De ce fait, il est également compréhensible que le lieu idéal pour une naissance physiologique soit celui qui vous est le plus familier et sécurisant, comme votre domicile.

> **❝ Parole d'expert**
>
> « En règle générale, si j'entends que cela se déroule normalement, avec par exemple une femme à quatre pattes, une poche des eaux intacte… je ne fais absolument rien, je ne me montre même pas. Il n'y a personne d'autre que Lilianna, près de la femme. Parfois, pour justifier ma présence, quand j'entends que le bébé arrive, je vais mettre mes mains pour qu'il ne tombe pas par terre… puis je disparais très vite, après m'être assuré qu'il fait assez chaud. » Michel Odent[41].

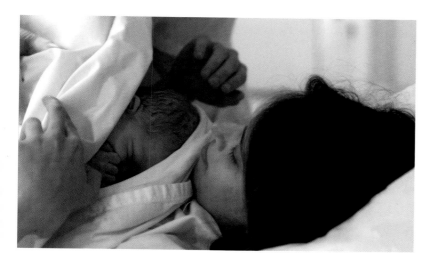

Michel Odent, obstétricien, est un fervent défenseur de cette doctrine, si simple et si difficile à faire appliquer : laisser la femme en travail en paix, la soutenir seulement en cas de nécessité ou lorsqu'elle vous le demande.

Quelques conseils pour une naissance non perturbée

- Soyez responsable de votre santé et optimisez-la.
- Optez pour un accompagnant et un lieu de naissance qui épouse votre philosophie (une sage-femme, une petite maternité ou votre maison).
- Choisissez des personnes de confiance pour vous soutenir et vous protéger dans vos choix (projet de naissance).
- Soyez très claire dans la verbalisation de vos besoins (intimité, silence, chuchotement, lumière tamisée...) et assurez-vous que votre compagnon, votre doula ou votre sage-femme prenne bien le relais afin que vous n'ayez pas besoin de le répéter.
- À l'hôpital, créez autant que possible une atmosphère dans la salle de travail (voir « Mes derniers préparatifs »).
- Demandez d'éviter les procédures, sauf en cas d'extrême nécessité (ce point doit être abordé durant votre suivi).
- Évitez tous les médicaments proposés, sauf en cas de besoin réel et avec votre consentement.
- Assurez-vous que la pièce où vous accouchez soit suffisamment chauffée pour que votre bébé et vous-même n'ayez pas froid au moment de la naissance.
- Une fois votre bébé né, soyez également très claire sur vos besoins : lumière tamisée, intimité, peau à peau, allaitement dès que votre bébé est prêt et aussi longtemps qu'il le désire, pas de séparation inutile et, si possible, que l'on vous laisse en paix.

L'accouchement dans l'eau

Michel Odent nous rappelle qu'une étude scientifique menée auprès de plus de 4 000 femmes a confirmé que la naissance dans l'eau ne comporte pas plus de risques qu'une autre[42], et que l'utilisation des piscines d'accouchement a de nombreux avantages :

- un accouchement plus facile car la maman éprouve moins les douleurs et peut donc mieux se détendre ;
- la réduction de demandes de péridurale ou d'autres formes d'analgésiques médicamenteux ;
- la réduction de tout type d'intervention.

Il y a cependant plusieurs règles importantes à respecter :

- assurez-vous que la température de l'eau est à 37 °C et qu'elle n'excède pas 38 °C ;
- entrez dans la piscine lorsque votre travail est bien établi (environ 5 cm de dilatation) ;
- l'effet ne dure pas éternellement : si vous remarquez une baisse des contractions, sortez, le temps que le travail reprenne son rythme ;
- ne vous fixez pas trop sur ce type d'accouchement. Si vous pensez accoucher ainsi, laissez votre corps décider ce qui lui convient le jour même ; cela peut vous éviter des déceptions. Ne vous butez pas : cela risque de troubler le déroulement de votre accouchement.

En savoir plus
http://portail.naissance.asso.fr/afna

> **❝ Parole d'expert**
>
> « En Nouvelle-Zélande, le cabinet dans lequel je travaillais avait un taux de naissance dans l'eau d'environ 40 %. Il arrivait parfois qu'une femme entre dans l'eau pour y ressortir rapidement car, pour elle, la sensation n'était pas compatible avec l'accouchement. C'est pourquoi mieux vaut rester flexible. »

La piscine vous offre aussi une zone de protection qui vous permet de vous sentir en sécurité.

En France, encore trop peu de maternités offrent l'option de piscine d'accouchement ou même de baignoires… et encore moins l'option d'y accoucher. Il est possible de louer une piscine pour votre accouchement à domicile, si vous avez choisi cette option.

> **Elles le vivent**
>
> «Pour moi l'eau fut une aide formidable… et la piscine, mon petit nid!» Marianne.

Phase 1, le début du travail : col fermé, enfant positionné

Fin de la phase 1 : col ouvert, enfant se préparant à l'expulsion

Phase 2, la naissance de votre bébé

Fin de la phase 2, la naissance de la tête : repositionnement des épaules pour la naissance du corps

La première phase

Cette phase représente la partie de l'ouverture du col. Votre col est un tube qui a besoin de s'affiner (effacement) avant de pouvoir s'ouvrir (dilatation), surtout si c'est votre premier bébé. Si vous avez déjà accouché, l'effacement et la dilatation se produisent souvent en même temps. L'effacement peut être plus ou moins indolore et compte souvent comme période appelée «phase de latence».

🌿 La période de latence

La période de latence peut vous paraître longue et fatigante. Vos contractions ne sont pas régulières, mais elles demandent tout de même votre attention. Cette phase peut durer plusieurs heures.

Pour vous aider :

- laissez-vous guider par ce que vous ressentez ; si vous êtes fatiguée, reposez-vous ou prenez un bain chaud. Ce bain peut ralentir votre travail et vous permettre de vous reposer ou de vous détendre en préparation de la prochaine phase ;
- si vous avez de l'énergie, adoptez les positions les plus confortables et les plus efficaces ;
- si vous avez faim et soif, rassasiez-vous, mais ne vous forcez pas si vous n'en avez pas envie ;
- si vous avez envie de prendre l'air, faites comme vous le sentez ;
- si vous n'éprouvez pas le besoin d'aide, appréciez ce moment de délice bien à vous, où vos contractions sont douces et où vous réalisez que votre enfant est prêt à vous rencontrer.

Dans les situations suivantes, prévenez votre sage-femme au plus vite ou téléphonez à votre maternité :

- vous perdez les eaux et ce, quelle qu'en soit la quantité ;
- votre vagin saigne ;
- vous ne sentez pas votre bébé bouger, malgré vos efforts pour le stimuler ;
- vous êtes inquiète.

Ce que vos soutiens peuvent faire pour vous

(à faire lire aux personnes concernées)

Comment soutenir votre compagne, votre fille ou votre amie ?

• Organisez la garde des enfants si besoin est.

• Prévenez sa sage-femme ou un autre accompagnant, si elle est suivie, afin qu'il ou elle puisse se préparer à venir lorsque votre compagne, fille ou amie en éprouvera le besoin.

• Si elle a opté pour une piscine et que celle-ci n'est pas déjà installée, vous pouvez vous y mettre, mais ne paniquez pas : ne la remplissez pas tout de suite, attendez que votre compagne, fille ou amie, ait des contractions régulières, sauf si ce n'est pas son premier bébé et que les autres accouchements étaient rapides (moins de quatre heures).

• Si elle accouche à l'hôpital, vérifiez que son sac est prêt et où il se trouve.

• Localisez la boîte où sont rangés les préparatifs si vous restez à la maison.

• Répondez au téléphone à sa place, annulez les visites et fermez la porte à clé pour éloigner les visiteurs.

• Assurez-vous d'avoir mangé, vous aurez besoin d'énergie pour soutenir votre compagne, fille ou amie. Proposez-lui quelque chose mais ne la forcez pas.

• Si elle ne vous demande rien, laissez-la en paix.

• Prenez quelques notes comme l'heure des premières contractions, leur durée, l'espace entre ; faites-le le plus discrètement possible et notez seulement les grands changements (changements de rythme, perte des eaux, saignements...).

⚘ La phase active

Votre col est plus ou moins effacé, mais la dilatation est d'au moins 4 cm. Vos contractions sont régulières, espacées de cinq minutes ou moins, et durent au moins une minute. Vous souriez peut-être moins souvent et devenez plus sensible aux bruits et comportements autour de vous, surtout durant les contractions. Il vous est de plus en plus difficile de communiquer avec le monde autour de vous : ne cherchez pas à vous forcer, c'est normal.

❝❝ **Elles le vivent**

«Pendant les contractions, je visualisais ce que dit Frédérick Leboyer dans son magnifique livre sur la naissance : "Le frêle bateau au milieu de la tempête qui avance avec confiance". » Anne.

Les contractions sont de plus en plus intenses, longues et vous commencez à douter de vos capacités ; vous avez besoin de votre sage-femme. Si elle n'est pas encore arrivée, exigez sa présence. Si vous avez convenu de vous rejoindre à la maternité, c'est le moment d'y aller. Soyez claire dans votre demande et laissez vos soutiens organiser le déplacement.

Si vous allez à la maternité, il se peut que votre travail ralentisse car votre taux d'adrénaline maintenant présent baisse celui de votre ocytocine. Il vous faudra peut-être attendre d'être de nouveau bien installée avant que les contractions ne reprennent ; ne vous inquiétez pas. Lorsqu'elles reviendront, le travail va de nouveau s'accélérer jusqu'au moment de la transition, petite phase intermédiaire que les sages-femmes savent applaudir intérieurement, sachant vos efforts bientôt récompensés.

—Les serviettes chaudes !

Une petite recette simple connue sous le nom de «péridurale domiciliaire». À utiliser de préférence lorsque vous ne semblez plus réussir à vous soulager seule et si vous tolérez d'être touchée lors du travail.

Faites bouillir de l'eau et mettez-la dans un seau, ajoutez-y juste assez d'eau froide pour pouvoir essorer la petite serviette que vous aurez mise dans le seau, sans vous brûler.

Au début de la contraction, votre compagnon mettra la serviette sur le bas de votre dos et si besoin, une deuxième sur le bas de votre ventre : c'est magique !

Durant la phase d'expulsion, on peut également prévoir de mettre la serviette sur votre vulve et votre périnée pour soulager l'étirement, mais certaines femmes ne désirent pas être touchée à ce moment-là. Curieusement, quelques femmes, même si c'est plutôt rare, désirent plutôt du froid.

La transition est un passage souvent intense. Votre col est pratiquement ou complètement dilaté et votre corps se prépare à pousser votre bébé; des changements hormonaux se font et pour vous, c'est quelquefois l'abysse. Vous venez d'accomplir un travail admirable et vous ne vous sentez plus capable de continuer. Psychologiquement, vous devez maintenant avoir une foi sans limites en vos capacités à enfanter. Pour certaines femmes, c'est le moment le plus redoutable, et certaines angoisses liées à des traumatismes du passé, remontant quelquefois à leur propre naissance, peuvent refaire surface. Si vous vous sentez angoissée, exprimez-vous; cela suffit souvent pour surpasser cela. La transition peut se faire très rapidement et occasionnellement, elle demande plus de soutien. Et puis soudain, vous ressentez un regain d'énergie et une envie irrésistible de pousser, c'est le moment de rencontrer votre bébé.

Pour vous aider :

- suivez votre corps, il ne vous mentira jamais. Laissez-vous porter par vos sensations et seulement si vous avez besoin d'une aide mentale lors des contractions, dites-vous : «Je me laisse porter par le travail, mon corps sait ce qu'il faut faire, mon bébé sait ce qu'il faut faire, mon col se dilate, il s'ouvre pour laisser passer mon bébé.» Vous pouvez le dire dans votre tête, à voix basse, à voix haute et même le chanter, si cela vous fait du bien;
- optez pour les positions qui sont les plus confortables. Pour beaucoup de femmes ce sont les suivantes : à quatre pattes, agenouillée en se soutenant sur un dossier ou une personne, accroupie et soutenue par une autre personne;
- si vous avez besoin d'aide, exprimez-vous et si quelque chose ou quelqu'un vous dérange, faites-le savoir;
- si vous avez loué une piscine, c'est le moment de l'expérimenter;

Savez-vous que...

Les professions médicales ont le devoir de vous informer avant toute intervention ou prescription médicamenteuse. Vous avez le droit de refuser ou de demander une alternative si elle existe.

- si vous n'avez pas loué de piscine, c'est le moment d'essayer les serviettes chaudes sur le bas du dos et/ou sur le bas du ventre.

> ## 66 Elles le vivent
>
> «C'est sûr : la tentation de la péridurale était forte, mais c'est au moment où l'on est sur le point d'accoucher qu'on la demande et qu'on n'en a plus besoin car bébé est presque là.» Claire.

Pour soutenir votre compagne, fille ou amie

• Votre compagne, fille ou amie entre dans la phase active et plus intense de son travail : elle aura certainement plus besoin de votre soutien, mais ne vous imposez pas, vous devez jugez si elle veut que vous interveniez. Si vous le faites à mauvais escient, elle peut être relativement directe, voire agressive. Ne vous inquiétez surtout pas.

• Si vous avez loué une piscine, assurez-vous qu'elle soit remplie ou faites-le maintenant et assurez-vous que la température de la piscine est adéquate.

• Quand l'occasion se présente et seulement entre deux contractions, dites-lui à quel point vous êtes fière d'elle, vous l'aimez, que vous êtes présent pour elle. Demandez-lui si vous pouvez la toucher, la caresser, la masser et si vous essayez quelque chose, réévaluez entre deux contractions si elle est toujours prête à l'accepter. Ne lui posez pas plus d'une question à la fois, souvenez-vous qu'il faut éviter que son cortex soit trop actif.

• Si elle a besoin d'être rassurée, dites avec elle : «Je me laisse porter par le travail, mon corps sait ce qu'il faut faire, mon bébé sait ce qu'il faut faire, mon col se dilate, il s'ouvre pour laisser passer mon bébé», respirez avec elle ou suggérez-lui une nouvelle position. Rappelez-lui qu'elle a déjà accompli le plus long du travail.

• Proposez-lui d'essayer la piscine, les serviettes chaudes ou même un gant de toilette froid pour son visage ou le bas du cou.

• Proposez-lui de boire de temps à autre, mais ne la forcez pas si elle refuse.

• Si vous sentez que votre compagne, fille ou amie a besoin de plus de soutien et qu'elle ne vous le demande pas, suggérez la présence de la sage-femme ou le départ pour la maternité.

• Si vous pensez que le travail se déroule rapidement, contactez votre sage-femme ou suggérez la maternité.

• Assurez-lui un environnement aussi calme et serein que possible. Si d'autres personnes sont là pour la soutenir et que vous sentez comme un malaise, soyez créatif pour les ou la faire partir ou l'éloigner en cuisine.

> ❝ Elles le vivent
>
> «L'accouchement est une formidable tempête : une lutte sacrée pour la vie, c'est une expérience qu'il faut vivre au maximum et le plus pleinement possible.» Sarah.

- Si vous partez à la maternité, prévoyez une bouillotte pour la route et des coussins pour le transport et n'oubliez pas le sac et les préparatifs prévus pour le travail.
- Une fois à la maternité, votre rôle de protecteur sera vital, surtout si elle n'a pas le suivi d'une sage-femme. Souvenez-vous de son projet de naissance et ne baissez pas les bras, votre compagne, fille ou amie le ressentira. Il sera plus difficile pour elle de résister aux interventions, surtout si elles lui sont offertes sur un plateau.
- Ne vous sentez pas coupable à l'idée de prendre l'air ou de manger un bout, si vous en éprouvez le besoin ; vous avez besoin d'être au top pour votre compagne, fille ou amie.
- Durant la transition, votre soutien sera très important, ne vous absentez pas une seule seconde, sauf si elle vous le demande. La sage-femme saura vous guider, si besoin est.

La deuxième phase

Durant cette phase, votre bébé descend plus bas et sort graduellement de votre utérus par votre vagin. Pour un premier bébé, si aucune intervention n'a lieu, cela peut prendre une à deux heures. Votre accompagnant doit être plus vigilant dans la surveillance du progrès et du bien-être de votre bébé.

Vous devez pousser avec chaque contraction et vous détendre entre deux. Vous sentez la tête de votre bébé dans votre vagin, mais après chaque contraction, il remonte ; ce qui peut vous paraître décourageant. C'est pourtant parfait car cela habitue vos tissus à s'étirer afin qu'ils ne se déchirent pas.

Soudain, la tête de votre bébé passe le cap du non-retour et il ne lui faut que quelques contractions avant la sortie de sa tête, probablement le moment le plus intense, mais également le plus proche de la naissance. À ce moment-là, votre sage-femme vous guide afin que vous limitiez les risques d'une déchirure. Idéalement, vous avez eu la liberté d'adopter la position la plus confortable pour vous. C'est le moment où une épisiotomie est effectuée, si cela s'avère nécessaire (cas rare si votre accouchement se déroule physiologiquement).

Une fois la tête de votre bébé sortie, il y a une petite pause afin qu'il puisse naturellement tourner ses épaules et sa tête. Ensuite, la prochaine contraction vous permet de donner naissance au corps de votre bébé, beaucoup plus facile que sa tête, soyez rassurée. Vous avez peut-être envisagé de prendre vous-même votre bébé dans vos bras, si tout se passe bien, il n'y a aucune raison de ne pas le faire. Vous le méritez. Là, c'est votre moment et je ne souhaite en aucun cas vous le décrire : il est à vous.

Pour vous aider :

- suivez votre corps, ne perdez jamais foi en sa capacité, ainsi qu'en celle de votre bébé à naître ;
- poussez quand vous en avez le désir et ne bloquez pas votre respiration, l'intensité de votre action doit être naturelle pour être efficace ;
- si vous en éprouvez le besoin, visualisez votre corps s'ouvrir pour votre bébé ;
- si vous le désirez, touchez la tête de votre bébé, parlez-lui ;
- laissez-vous aller, criez, chantez, soufflez... faites comme vous le sentez.

❝ Elles le vivent

« Quel état de grâce après l'accouchement : on réalise à quel point la naissance est un mystère sacré. » Michelle.

Pour soutenir votre compagne, fille ou amie

• Préférez vous positionner de façon à être proche de sa tête et la regarder dans les yeux, vous la soutenez dans ce moment intense de la naissance.

• Elle aura peut-être toujours envie d'être dans sa bulle, protégez-la des interventions inutiles qui pourraient être faites : épisiotomie, la «forcer» à s'allonger si elle ne le désire pas…

• Une fois que bébé est né, protégez-les de toute intervention et séparation inutiles. Négociez un moment sans personne où vous serez présent et prêt à prévenir en cas de souci. Laissez votre compagne, fille ou amie et bébé se contempler, votre moment viendra très vite. Attendez qu'elle soit prête à vous donner le bébé ; ils l'ont bien mérité.

✿ L'épisiotomie

L'épisiotomie est une incision faite sur votre périnée pendant que vous poussez votre bébé afin d'élargir votre vagin. Cette incision coupe votre peau, mais aussi la muqueuse et une partie des muscles entourant votre vulve et votre vagin. Bien sûr, il faut recoudre cette incision ; ce qui est inconfortable, même si elle est faite sous anesthésie locale.

En France, le taux d'épisiotomie est de plus de 70 % pour les femmes accouchant pour la première fois et de plus de 35 % pour les autres[43]. Ces chiffres ne représentent qu'une moyenne, certaines maternités sont plutôt exemplaires, d'autres ont un taux qui peut aller jusqu'à 90 %. Il est donc devenu raisonnable de penser que c'est un geste médical plus ou moins de routine. Il est d'ailleurs décrit dans la plupart des guides de grossesse comme préférable à une déchirure potentielle et spontanée, sa réparation et sa cicatrisation ne posant aucun problème inquiétant. Pourtant, l'OMS[44] classe l'épisiotomie parmi les pratiques qui sont fréquemment utilisées à tort et de nombreux pays, tels que le Royaume-Uni, ont drastiquement réduit leur taux grâce à des campagnes d'information.

Voici les raisons les plus couramment invoquées pour la pratiquer :

- la déchirure potentielle est plus difficile à réparer : faux ! Elle demande seulement parfois un peu plus de temps ;
- la déchirure potentielle est plus longue à cicatriser : faux ! Elle peut également être recousue si besoin est ;
- la déchirure potentielle peut atteindre le sphincter anal : vrai ! Mais selon une étude récente[45], l'épisiotomie ne les prévient pas non plus ;
- la déchirure potentielle entraîne plus de problèmes d'incontinence urinaire et fécale : faux ! Une étude[46] réalisée en 2005 ne trouve pas de différences significatives ;
- elle est nécessaire lors d'une naissance assistée avec ventouse ou forceps : faux ! Selon certaines études[47], il serait préférable de ne pas faire d'épisiotomie ;
- elle est nécessaire en cas de détresse fœtale pour accélérer la naissance : vrai ! Mais il est important de donner d'abord l'opportunité à la maman de pousser en connaissance de cause car lorsqu'elle sait que son bébé est en danger, elle peut être très rapide à le faire naître.

Les raisons pour l'éviter sont les suivantes :

- elle augmente les risques de déchirures lors du prochain accouchement[48] ;
- la déchirure ne sera peut-être que superficielle surtout si la maman est libre de choisir sa position et non guidée à pousser son bébé ;
- il existe des risques de chirurgie réparatrice en cas de suture trop lâche (créant une béance) ou trop serrée (créant des rapports sexuels douloureux)[49] ;
- la perte de sang est plus importante et peut entraîner une anémie ;
- elle peut être considérée comme une mutilation génitale[50].

Pour conclure et laisser place à votre réflexion, l'Afar[51] souligne : «Les causes des déchirures périnéales que l'épisiotomie prétend éviter sont à rechercher dans les procédures obstétricales : position d'accouchement imposée, poussées dirigées, dopage au Syntocinon, etc. En parlant d'épisiotomie, on peut ainsi remonter toute une chaîne d'interventions abusives, justifiées uniquement par la crainte du médico-légal[52].»

N'oubliez pas de mentionner sur votre plan de naissance votre choix à ce sujet.

La troisième phase

La troisième phase est la naissance du placenta de votre bébé.

Le placenta et son rôle durant votre grossesse

Le placenta est un organe qui permet un échange nutritif entre vous et votre bébé. Il se développe durant les cinq premiers mois de votre grossesse. La face maternelle est accrochée à la paroi de votre utérus et la face fœtale, où est ancré le cordon ombilical, le relie à votre bébé.

Le placenta remplit le rôle des poumons, de l'appareil digestif et des reins. Il reçoit les nutriments nécessaires pour la survie et la croissance de votre bébé. Enfin, il fabrique et libère les hormones nécessaires au bon déroulement de votre grossesse, en conjonction avec vos propres hormones.

Dans la culture occidentale, une fois son rôle terminé, lors de sa naissance appelée aussi «délivrance», il est vite séparé du bébé, examiné puis rejeté... un bien triste sort après avoir rempli un tel rôle!

La naissance physiologique

Après avoir fait connaissance avec votre bébé, après l'avoir admiré, touché et lui avoir offert le sein, les contractions reviennent et vous ressentez même une gêne dans votre vagin; le placenta de votre bébé se décolle des parois de votre utérus et demande à naître. Les sensations ne sont pas aussi fortes que pour la naissance de votre bébé, le placenta étant plus petit et mou. Générale-ment, il suffit de changer légèrement de position et d'utiliser la gravité ou tout simplement de pousser lors d'une contraction pour lui donner naissance. Ensuite, vous pouvez le déposer dans un récipient si vous le gardez attaché

Pour soutenir votre compagne, fille ou amie

Continuez à les protéger de toute interférence, au moins jusqu'à la naissance du placenta et la première tétée.

(voir « La naissance lotus ») ou demander à ce que le cordon soit coupé, une fois qu'il n'émet plus de pulsations et donc d'échange sanguin.

Cette phase dure en moyenne 30 minutes. Une fois votre placenta né, votre sage-femme examine votre périnée et le recoud si nécessaire. Elle examine aussi le placenta.

Pour faciliter la naissance du placenta :
- restez avec votre bébé et ne soyez pas dérangée ;
- laissez votre bébé vous guider et offrez-lui le sein lorsqu'il le demande.

⚘ La naissance lotus

Un bébé lotus est un bébé dont le cordon ombilical n'a pas été coupé à la naissance. Votre bébé reste attaché à son placenta. Le procédé de séparation reste le même physiquement parlant : le cordon de votre bébé se sèche, fonce et après quelques jours se sépare du corps de votre bébé, laissant une petite plaie qui se cicatrise très rapidement.

En savoir plus
http://bien-naitre.spaces.live.com/

Le seul autre mammifère connu pour cette pratique est le chimpanzé. En 1974, une Américaine du nom de Clair Lotus Day fut interpellée par ce rituel et trouva un médecin acceptant de le faire pour son bébé. Depuis, la pratique s'est répandue dans les pays anglo-saxons et a même été vécue en France.

Elle permet à la naissance d'être physiologique jusqu'au bout. C'est le bébé qui décide lorsqu'il veut se séparer de cet organe qui l'a fait vivre.

Les bébés lotus seraient plus entiers, plus indépendants et plus calmes.

Cette pratique encourage le repos durant les premiers jours, même s'il est tout à fait possible de déplacer son bébé et son placenta.

❝ Elles le vivent

« J'ai lu un petit livre sur la naissance lotus et je me suis sentie vraiment triste de ne pas l'avoir fait pour notre premier enfant ; cela me paraissait si naturel, si doux pour le bébé. Pour mon deuxième, ce fut une évidence ! » Marianne.

Mes remèdes pendant la naissance

Le kit homéopathique

Si vous avez besoin d'un soutien supplémentaire lors de la naissance, l'homéopathie peut se révéler très efficace, si le remède spécifique est trouvé. Il est important de déléguer une personne pour vous prescrire les remèdes, idéalement une sage-femme ayant une bonne compréhension de l'homéopathie.

Les principaux remèdes utilisés lors de la naissance sont :

- *arnica* pour prévenir les hématomes ;
- *caullophyllum* pour coordonner et renforcer vos contractions ;
- *coffea* pour les contractions douloureuses, successives, mais sans progrès ;
- *aconit* pour soutenir un travail rapide et violent ;
- *chamomilla* si vous souhaitez contrôler le travail mentalement ;
- *cimicifuga* pour des tremblements sans autres symptômes ;
- *kali phos* pour une très grande fatigue ;
- *nux vomica* pour un travail prolongé causé par des contractions non coordonnées ;
- *pulsatilla* pour des contractions courtes et des douleurs en bas du dos.

La posologie homéopathique

La posologie homéopathique durant l'accouchement, pour une situation de douleur aiguë, est généralement en 200 CH et si le remède est bien choisi, une granule suffit. Elle ne doit pas être renouvelée plus de trois fois.

D'autres remèdes, tels que l'*arnica*, en préventif, peuvent être administrés à 6 ou 9 CH, à intervalles réguliers. Votre compagnon devra être informé afin de choisir le remède à votre place. Idéalement, consultez un homéopathe qui peut vous préparer un kit approprié à vos besoins.

☘ Les remèdes de Bach

Le remède Rescue est très efficace si vous avez peur, si vous êtes en état de choc ou paniquée (transition, transfert à la maternité...). Il peut aider votre bébé à se calmer en cas de naissance rapide ou traumatisante (appliquez une goutte sur chaque tempe).

Savez-vous que...

L'examen de votre bébé, très important, est tristement réalisé trop rapidement après la naissance et dans la majorité des cas, dans une pièce voisine à la salle de naissance. Votre compagnon, heureusement, peut l'accompagner. Si votre bébé paraît en bonne santé, demandez à ce qu'il soit reporté plus tard, cela vous évitera d'être séparés. Demandez aussi que l'on vous explique ce qui lui est fait et parlez-lui pour le réconforter.

Les premières heures de mon bébé

Ces premières heures devraient être «sacrées» et uniquement interrompues pour les raisons stipulées auparavant. Soyez vraiment claire à ce sujet dans votre projet de naissance.

Votre bébé a été cocooné dans votre utérus pendant des mois, facilitez-lui cette transition, qui peut être si agressive dans certaines maternités.

Voici une liste d'interventions qui peuvent se dérouler à la naissance; prenez le soin d'en discuter avec votre compagnon et décidez si certaines, toutes, ou aucune sont nécessaires pour votre bébé :

- l'aspiration du nez, de la bouche et du pharynx, pratiquée systématiquement dans de nombreuses maternités de France, est jugée dans certains pays, comme la Nouvelle-Zélande, plus néfaste que bénéfique ;

> ❝ **Parole d'expert**
>
> «S'il est important de se poser des questions sur l'aspiration gastrique systématique, c'est afin de préserver une rencontre majeure et magnifique entre le nouveau-né et sa mère, chaque fois que c'est possible, sans pour autant compromettre sa sécurité[53].» Régine Prieur, sage-femme.

- le passage d'une sonde pour vérifier la continuité de son œsophage pour le dépistage de l'atrésie œsophagienne (touchant un bébé sur 4 500) pourrait être effectué seulement en cas de risques présents[54];
- l'injection par gouttes d'antibiotique ou nitrate d'argent dans les yeux de votre bébé afin d'éviter les infections oculaires dues aux gonocoques : le nitrate d'argent peut provoquer des conjonctivites et si votre bébé développe une infection, il ne sera alors pas trop tard pour lui administrer des antibiotiques, si tel est votre choix[55];
- l'apport en vitamine K1 par voie orale pour les bébés à faible risque ou par injection intramusculaire pour les bébés présentant un plus fort risque de développer la maladie hémorragique du nouveau-né. Il est important de vous renseigner à ce sujet car de nombreuses polémiques se sont développées ces dernières années dans les pays anglo-saxons, remettant en cause ses bienfaits;
- le bain n'est pas nécessaire à la naissance, à moins que vous y teniez et que vous le fassiez vous-même. Sinon, il peut perturber ce moment précieux de la naissance;

L'allaitement

Voici quelques points importants pour un bon départ :

- laissez votre bébé téter dès qu'il montre des signes (bouge sa tête ; ouvre sa bouche ; prend ses doigts...) ;
- n'attendez pas qu'il pleure pour lui offrir le sein ;
- prenez le temps de bien vous positionner, vous ainsi que votre bébé, afin d'éviter les crevasses ;
- prévoyez une bouteille d'eau et quelques snacks nutritifs à portée de mains ;
- demandez conseil et n'oubliez pas de vous procurer un bon petit livre sur l'allaitement ;
- soyez patiente, vous êtes deux à apprendre !

66 Elles le vivent

« L'allaitement n'était pas facile au début. Heureusement, une sage-femme m'a soutenue dans mon choix et au bout de cinq jours, j'ai enfin eu la montée de lait. » Justine.

Vaccination

Sujet de plus en plus courant, il est très important de vous informer afin de connaître les risques pour vous et pour votre enfant et ce quel que soit votre point de vue sur la question. La décision finale sera vôtre et devrait être respectée. Pour de plus amples informations, voici quelques sites dont les opinions divergent :

www.medecines-douces.com/impatient/hs20/risqhb1.htm

www.shirleys-wellness-cafe.com/vaccines_part2.htm

www.hlthss.gov.nt.ca/french/services/communicable_disease_control_program/immunizations/vaccines/pentacel.htm

Mon accouchement assisté

Si tout est mis en œuvre pour vous soutenir dans votre accouchement, vous aurez de faibles risques d'y avoir recours. Cependant, quand un accouchement assisté est vraiment nécessaire et bien performant, c'est une aide formidable.

La péridurale

En France, elle est devenue tellement «commune» que beaucoup de femmes ne se posent même pas la question de vivre une naissance physiologique.

🌱 Qu'est-ce que la péridurale ?

C'est l'introduction d'un liquide anesthésiant par l'intermédiaire d'un cathéter, inséré dans l'espace «péridural» situé autour de la membrane enveloppant la moelle épinière, en bas de la colonne vertébrale. Le cathéter reste en place de façon à pouvoir ajouter de la préparation anesthésiante si les douleurs réapparaissent.

🌱 Ses avantages

- Elle diminue considérablement ou complètement la douleur provoquée par vos contractions.
- Lors d'un accouchement difficile et qui ne progresse pas normalement, elle peut faciliter le relâchement de vos muscles et aider la descente de votre bébé.

> **❝ Elles le vivent**
>
> «Pour moi, à l'époque où j'ai accouché de mon premier enfant, la péridurale était une évidence : pourquoi souffrir si je pouvais l'éviter ? N'ayant ressenti aucune sensation en mettant Manon au monde, je m'étais en fait dissociée de ce que mon corps vivait et j'avais l'impression de ne pas avoir accouché de mon enfant. Pour mon deuxième enfant, c'était intense mais tellement plus fort émotionnellement, j'ai vécu mon accouchement entièrement ! » Julie.

❧ Ses inconvénients

En savoir plus

Claude Didierjean-Jouveau, *Pour une naissance à visage humain*, Jouvence, 2007.

- Elle nécessite que vous soyez allongée pendant l'accouchement, que votre pression sanguine soit surveillée, qu'un cathéter urinaire soit installé ou une sonde utilisée afin de libérer votre urine de temps à autre.
- Elle nécessite que le cœur de votre bébé soit constamment surveillé avec le monitoring.
- Elle requiert souvent l'accélération des contractions par l'administration d'une hormone de synthèse (syntocinon).
- Elle est responsable, selon certaines études américaines[56], d'une utilisation plus importante des forceps, due au manque de sensations durant l'expulsion ; ce qui augmente par voie de fait le taux d'épisiotomie.
- Elle pourrait augmenter le risque de césarienne si c'est votre premier bébé, même si les études à ce sujet sont encore controversées[57].
- Elle peut vous dissocier de votre accouchement, séparant le physique de l'émotionnel.
- Elle n'est pas toujours efficace, la procédure devant parfois être refaite.
- Elle peut provoquer des maux de tête durant plusieurs jours.
- La zone où le cathéter a été inséré peut rester sensible, voire paralysée, pendant des jours (jusqu'à deux ou trois semaines après la naissance).

La ventouse obstétricale

La ventouse ressemble étrangement à celle utilisée chez vous, mais reliée à un tuyau. Elle s'utilise de la même manière que les forceps, mais demande à être bien posée sur la tête de votre bébé afin de provoquer une succion suffisante. Elle est moins fréquemment utilisée en France, bien qu'elle favorise moins d'épisiotomies, plus de confort pour la maman et moins de risques pour le bébé.

Les forceps

Les forceps font penser à une pince à salade en métal géante : les deux cuillères sont séparées et posées délicatement de chaque côté de la tête de votre bébé pour être ensuite attachées à la base afin de les manipuler. Ils sont utilisés lorsque l'expulsion devient trop longue et/ou que votre bébé présente des signes de fatigue. On vous demande de pousser lors d'une contraction et l'obstétricien tire le bébé vers lui. Cette méthode est proposée lorsque votre bébé est suffisamment bas dans votre bassin. L'épisiotomie va de pair dans la plus grande majorité des cas, mais vous pouvez demander à ce qu'elle soit évitée.

Même si cette méthode est souvent accomplie dans de bonnes conditions et par des mains expertes, elle n'est cependant pas sans risques. En effet, les risques suivants sont possibles : lésions vulvaires, vaginales, cervicales ou péri-néales pour vous et lésions pour votre bébé : votre bébé peut aussi souffrir d'hématomes crâniens, apparaissant souvent un ou deux jours après la nais-sance, surtout si la naissance a été difficile.

Même si cela se passe très bien, je vous conseille de consulter un ostéopathe dans la semaine qui suit la naissance.

 Elles le vivent

« Il y avait un ostéo à la maternité qui a réglé les petits problèmes de Théo suite à une naissance avec les forceps. » Céline.

La césarienne

C'est une opération chirurgicale qui a pour but de faire naître l'enfant lorsque la naissance vaginale n'est pas possible ou que la naissance doit se faire rapidement pour des raisons de santé chez la maman ou le bébé. Utilisée dans le bon contexte, c'est une opération qui a sauvé et continue à sauver des vies quotidiennement et dans le monde entier. Sous péridurale, votre peau, vos muscles abdominaux et votre utérus sont incisés, puis la poche des eaux est percée afin de pouvoir tirer votre bébé.

En France, selon la Statistique des établissements de santé (SAE), le taux de césarienne est passé de 10,9 % en 1981 à presque 20 % en 2005. L'OMS considère que ce taux devrait être compris entre 5 et 15 %. Ces chiffres font vraiment réfléchir sur le thème de la médicalisation de la naissance.

Les raisons médicales qui peuvent provoquer une césarienne sont les suivantes :

- le placenta couvre le col de l'utérus (*placenta prævia*) ;
- le cordon ombilical se trouve devant votre bébé (procidence du cordon) ;
- votre bébé se présente de façon transversale ou par le front ;
- l'accouchement ne progresse pas, malgré votre meilleure volonté et celle de votre soutien ;
- votre santé ou celle de votre bébé est en danger immédiat.

Les raisons pour éviter une césarienne, si les raisons indiquées précédemment ne sont pas réellement présentes, sont les suivantes :
- c'est une opération qui nécessite une période de rétablissement à un moment où vous avez besoin de toutes vos facultés physiques afin de prendre soin de votre bébé ;
- comme toute opération, elle comporte des risques d'infections et de désagréments dus aux médicaments administrés.

Si vous devez avoir une césarienne pour des raisons médicales, voici quelques suggestions pour améliorer votre expérience et celle de votre bébé :

- s'il est possible de laisser le travail débuter avant la césarienne, cela assure que votre bébé est prêt à naître et que le cocktail hormonal prévu à ce moment se met en place ;
- la présence de votre compagnon ou une autre personne peut être exigée ;
- exigez que votre bébé soit en peau à peau ;
- la naissance lotus est possible ;
- si vous voulez être la première à découvrir le sexe de votre bébé, mentionnez-le.

Consultez un homéopathe ou un naturopathe afin de prendre des remèdes pour vous rétablir rapidement et alléger les effets des médicaments pour vous et votre bébé.

Après la naissance, consultez un ostéopathe pour vous et votre bébé pour vous aider dans votre rétablissement.

Communiquez et échangez vos sentiments avec votre compagnon, votre sage-femme et/ou votre médecin à la suite de votre césarienne.

 Elles le vivent

« Nous nous étions préparés à une naissance si douce, j'appréhendais beaucoup la césarienne, mais au final, l'équipe a été formidable et tout s'est bien déroulé. » Karine.

chapitre 6

Ma remise en forme

Je n'entends pas vous pousser à retrouver votre ligne rapidement, ce n'est pas réaliste et ne doit pas être votre priorité. Néanmoins, il est important de prendre soin de vous physiquement et psychologiquement ; vous devez bien vous remettre de la naissance et optimiser votre bien-être général pour pouvoir prendre soin de votre bébé avec joie et sérénité. Ne vous en faites pas : si vous observez une bonne hygiène de vie, votre corps reviendra assez rapidement à son poids idéal.

Mon bien-être physique

Mon corps après la naissance

⚘ Utérus

Votre utérus a travaillé avec une intensité formidable durant votre travail. Il doit maintenant reprendre sa taille originale et guérir la plaie laissée par le décollement du placenta. L'ocytocine relâchée chaque fois que vous regardez votre bébé et que vous lui offrez votre lait favorise les contractions qui aident ces deux processus. Le repos durant les premières semaines vous est également nécessaire pour faciliter votre rétablissement et vous permettre de vous adapter aux nouvelles demandes de votre bébé.

Une cure de vitamine C et de fer vous donne un regain d'énergie et contribue à un bon rétablissement.

Si les contractions sont douloureuses, et elles peuvent l'être surtout si ce n'est pas votre premier bébé, rappelez-vous qu'elles ne durent que quelques jours et diminuent d'intensité peu à peu.

Prévention et soin

Quelques remèdes qui peuvent vous aider :
- une tisane de feuilles de framboisier et de verveine basilic pour vous soulager ;
- une bouillotte d'eau chaude appliquée sur le bas ventre ;
- les techniques de respiration et de visualisation apprises pour l'accouchement ;
- le remède homéopathique *sabina* ou le sel chimique *magnésium phosphatum*.

⚘ Saignements ou lochies

Après la naissance, il est tout à fait normal d'avoir des saignements. La plaie engendrée par le décollement de votre placenta en est la première cause. Ensuite, les parois de votre utérus vont se régénérer de la même façon que lors de votre cycle menstruel, mais de manière plus conséquente. Ces lochies durent entre deux et six semaines et sont plus importantes les premiers jours. Il n'est d'ailleurs pas rare de voir passer quelques caillots sanguins. Ensuite, comme pour vos règles, la couleur du sang va foncer, devenir marron pour finalement disparaître.

> ### Savez-vous que...
> Il est assez commun que les saignements diminuent très vite, surtout si vous vous reposez. Mais lorsque vous vous sentez mieux et tout à coup plus active, vous remarquerez que les saignements reviennent... Écoutez votre corps et ralentissez la cadence.
> Si les saignements se sont arrêtés et reprennent brièvement entre la 4e et la 6e semaine, ne vous inquiétez pas, surtout si vous allaitez : ce saignement est le signe que votre utérus est redescendu en dessous de la cavité abdominale.

Périnée

Votre périnée a, lui aussi, travaillé dur. Il s'est distendu à son maximum et, dans certains cas, une déchirure a pu se produire pour faciliter la naissance de votre bébé. Dans d'autres cas, une épisiotomie a été pratiquée.

Si votre périnée est resté intact, un excellent remède pour le soulager ou pour éviter les éventuels hématomes est l'arnica sous forme homéopathique et en granules.

Quelques remèdes et astuces pour soulager votre périnée et guérir votre cicatrice éventuelle :

- placez une poche remplie de glaçons sur votre périnée pour le soulager et réduire les hématomes ou placez quelques serviettes hygiéniques au congélateur, en leur donnant la forme d'un C ;
- préparez une lotion réparatrice (diluez quelques gouttes d'huile essentielle de lavande, de *tea tree*, de millepertuis et de calendula), vaporisez sur votre plaie après l'avoir lavée ou versez ces gouttes directement dans un bain avec une poignée de gros sel de mer ;

- aérez votre périnée de temps à autre : reposez-vous avec votre bébé allongée sur une serviette de bain;
- essayez d'allaiter allongée afin de diminuer les périodes assises;
- asseyez-vous sur un coussin mou;
- ne restez pas trop longtemps debout les premiers jours et augmentez votre activité graduellement;
- changez souvent votre serviette hygiénique.

Mon corps après une césarienne

Les césariennes étant devenues très communes, on a tendance à en banaliser les conséquences. Pourtant, pour vous qui l'avez vécue, c'est un événement exceptionnel, une opération qui vous demande des précautions afin de bien vous rétablir.

⚘ Précautions

- Sachez vous reposer mais aussi faire des exercices régulièrement et progressivement.
- Diminuez les analgésiques progressivement.
- Allaitez allongée, évitez les pressions sur votre cicatrice.
- Ne désespérez pas si vous avez des difficultés pour instaurer l'allaitement. Les médicaments reçus pendant la péridurale ou l'anesthésie générale et la période postnatale passent à travers votre lait et peuvent l'affecter (votre bébé est moins alerte et les hormones sont perturbées dans leur fonctionnement si la césarienne était programmée). Avec du soutien et de la volonté, vous pouvez surmonter ces éventuelles difficultés.
- Surveillez votre cicatrice quotidiennement.
- Ne portez pas de choses lourdes, votre bébé doit être le seul poids, le temps que votre cicatrice se cicatrise.
- Dormez avec votre bébé, cela vous évitera de vous lever la nuit, surtout si vous allaitez allongée.

🍃 Remèdes naturels

Après une césarienne, vous pouvez prendre :

- de l'*arnica* afin de minimiser les risques d'hématomes ;
- de l'*opium 5 CH* afin de soulager les douleurs, une fois les effets de l'anesthésie passés ;
- des tisanes pour vous soutenir dans votre lactation (fenouil, fenugrec...).

Signes d'infections postnatales

- Vos lochies ont une odeur forte et différente de vos règles.
- Vous avez de la température.
- Vos seins sont chauds, rouges et douloureux.
- Vous avez des difficultés pour uriner et cela vous brûle.
- Vous remarquez du pus, une zone rouge et boursouflée sur toute ou une partie de la cicatrice de votre césarienne.

Si vous constatez un ou plusieurs de ces problèmes, consultez le plus rapidement possible.

Mes exercices de remise en forme

🍃 Plancher pelvien

Vous pouvez commencer à faire des exercices pour tonifier votre plancher pelvien dès le lendemain de votre accouchement, mais ne vous étonnez pas si vous ne sentez pas grand-chose au début. Ne soyez pas trop dure avec vous-même, allez-y progressivement. Un bon moment pour faire des exercices est

> **Savez vous que...**
> La Sécurité sociale rembourse intégralement les 10 séances de rééducation périnéale, effectuées par une sage-femme libérale ou un kiné, profitez-en !

durant l'allaitement. Si vous préférez le faire aux toilettes, exercez-vous après avoir fait vos besoins. Il est déconseillé d'interrompre le flot de vos urines régulièrement. Idéalement, il serait bon de faire l'exercice plusieurs fois par jour pendant cinq à dix minutes.

> ## 66 Elles le vivent
>
> « On imagine un pantalon un peu serré dans lequel on veut rentrer. On visualise la fermeture éclair qui se remonte en inspirant vers le haut le plus longtemps possible. » Christine.
>
> « On imagine une paille à l'entrée de son vagin et on la fait remonter le plus haut et le plus longtemps possible. » Chloé.

Abdominaux

Vos abdominaux auront besoin d'être raffermis ; cela est important non seulement pour retrouver un joli ventre, mais surtout pour soutenir votre posture et votre dos.

Une fois de plus, allez-y progressivement et protégez votre cou lorsque vous faites des exercices.

Quelques méthodes douces idéales pour la remise en forme après la naissance à pratiquer à partir de la sixième semaine postnatale : le yoga, la natation, la gymnastique sensorielle, le tai-chi, le chi-cong, l'ostéopathie et la sophrologie.

Ma sexualité et ma contraception

Sexualité

Retrouver votre intimité après l'accouchement est important mais peut demander du temps. Beaucoup de femmes préfèrent attendre la fin des lochies (entre la quatrième et la sixième semaine), d'autres plus longtemps encore. Cela dépend de votre niveau d'énergie, des demandes de votre bébé, de l'expérience vécue à la naissance. Il est préférable de parler avec votre compagnon avant de passer à l'acte. Prévenez-le de votre état d'âme : il se peut que vous ne soyez pas à l'aise pour des rapports complets, que des caresses ou d'autres échanges amoureux sont plus appropriés pour les premiers temps, qu'il ne le prenne pas comme une atteinte personnelle et soit patient. Si vous ne vous sentez pas prête, communiquer préalablement peut éviter de le blesser.

> Savez-vous que...
>
> Lorsque vous allaitez, votre vagin ne se lubrifie pas facilement. Cela est dû aux hormones liées à l'allaitement.

Contraception

Il est important de discuter de ce sujet avec votre compagnon, puis à votre sage-femme ou à votre médecin. Chaque contraception a ses avantages et ses inconvénients. Mais si vous voulez vivre le plus naturellement possible, privilégiez les méthodes naturelles qui ne sont pas nocives pour votre santé et vous aideront à mieux connaître votre corps.

Mon bien-être
psychologique

Mon rôle de maman

Il est très difficile d'imaginer ce que signifie être maman avant de l'être vraiment. Même si votre enfant est très fortement désiré, une période d'adaptation est nécessaire.

Vous avez peut-être parfois l'impression d'emprunter des montagnes russes, avec ses montées pleines d'appréhension et d'angoisse et ses descentes très impressionnantes, mais aussi très excitantes.

Vous avez sûrement envie d'atteindre l'idéal tout de suite et sans manuel. N'oubliez pas que votre bébé est un autre être humain, qui a tout aussi soif d'idéal, mais ne partage peut-être pas le vôtre.

La dépression postnatale

Après la grossesse (neuf mois durant lesquels votre corps se charge d'hormones, vous soutient dans son déroulement et durant lesquels votre psychique vous transporte dans un voyage surprenant), vient l'accouchement, avec sa force intègre. Vous rencontrez enfin votre bébé dans toute sa splendeur humaine. Un nouvel ajustement hormonal se fait et vous êtes sur votre petit nuage... C'est le bonheur, et pourtant...

❧ Coup de blues

Vous ne comprenez pas mais, deux à trois jours après la naissance, vous vous sentez différente, ultra-sensible, un rien vous fait pleurer et un sentiment de tristesse s'empare de vous. Vous vous sentez coupable de ressentir ces émotions quand vous avez tout pour être heureuse. Vous avez le coup de blues postnatal qui touche une majorité de femmes, surtout celles qui viennent d'avoir leur premier enfant. Elle est causée par l'ajustement hormonal incroyable qui vient de se faire dans votre corps, la fatigue physique normale après la naissance, l'établissement de l'allaitement et l'intensité de la demande de votre nouveau-né. Ne vous inquiétez pas, c'est généralement passager.

❧ Dépression

Si vous ne parvenez pas à reprendre le dessus après ce petit coup de blues et si vous éprouvez un ou plusieurs des symptômes suivants, parlez-en à votre compagnon, votre sage-femme ou votre médecin, vous avez certainement besoin de plus de soutien. N'ayez pas peur de demander de l'aide ; vous et votre enfant le méritez bien. Vous n'êtes pas pour autant une mauvaise mère, vous êtes seulement une mère en détresse.

> ❝ Elles le vivent
>
> «Les journées me paraissaient interminables, je fuyais ma maison et j'errais dans les jardins publics afin de rencontrer d'autres mamans. À la maison, je tournais en rond et j'avais peur. Mon mari m'a finalement convaincue de demander de l'aide.» Catherine.

Symptômes de dépression postnatale

- Vous vous sentez plus souvent fatiguée et triste qu'en forme.
- Vous n'avez plus d'appétit.
- Vous ne vous sentez pas capable de vous occuper de votre enfant.
- Votre compagnon s'inquiète pour vous et vous conseille de demander de l'aide.
- Vous avez des insomnies.
- Vous avez peur de blesser votre bébé.

Causes de la dépression postnatale

Elles peuvent être :

- une naissance très difficile ;
- un manque de soutien, l'isolement ;
- une déficience alimentaire ;
- un historique d'abus sexuels (surtout dans votre enfance).

En savoir plus
www.multikulti.org.uk/fr/health/post-natal-depression/

Remèdes et soutiens

- Demandez de l'aide.
- Suivez une thérapie.
- Assurez-vous que votre alimentation est équilibrée et riche en vitamines B12, B6 et en magnésium.
- Accordez-vous du temps pour vous. Lorsque votre compagnon rentre de son travail, prévenez-le que vous avez besoin qu'il soit disponible pour vous et votre bébé, qu'il puisse prendre le relais pour que vous puissiez faire une pause (un bain, une promenade dans le jardin, une marche…).

chapitre 7

Mon calendrier

Bien que volontairement synthétique (et donc réducteur), ce chapitre comporte un intérêt majeur : vous guider, mois après mois, sur le chemin de la naissance. Vous pourrez ainsi visualiser en un clin d'œil les changements qui vont s'opérer dans votre corps, le développement de votre bébé, les démarches que vous devez accomplir, vos rendez-vous incontournables et autres événements capitaux...

Le premier mois (du 1er jour de vos dernières règles à 6 semaines)

- Mon corps : Vous n'avez peut-être pas encore conscience de votre grossesse, mais vous vous sentez plus fatiguée que la normale. Vous ressentez une plus grande sensibilité au niveau des seins. À la fin de ce premier mois, vos règles ont un retard significatif et vous commencez peut-être à souffrir de nausées. Votre utérus est passé de la taille d'une figue à celui d'une mandarine.
- Mon bébé : Né de l'union de votre ovule et d'un spermatozoïde, un petit être humain va se former. Durant les six premières semaines, votre bébé va se développer très rapidement. Sa taille est à peu près celle d'une amande. Son cœur commence déjà à battre à 180 battements par minute.
- Mes démarches : Une fois votre grossesse confirmée, il est important de penser à organiser votre suivi. Certaines sages-femmes ou certains obstétriciens sont très demandés et certaines maternités sont rapidement réservées, et ce d'autant plus si elles sont plus «alternatives», car elles sont moins nombreuses. Mieux vaut vous assurer plusieurs choix, le temps de prendre votre décision ; les visiter vous guidera. **Arrêtez de fumer et ne buvez plus d'alcool**, demandez de l'aide si c'est trop difficile.
- Mes rendez-vous : Organisez une première visite le mois prochain avec votre accompagnant.
- Divers : Évitez ou minimisez le contact avec toutes formes de polluants (voir le chapitre 1).

Le deuxième mois (de 6 à 10 semaines d'aménorrhée)

- Mon corps : Vos symptômes de grossesse sont maintenant très présents (fatigue, nausées, vomissements, insomnies...), mais leur intensité dépend de chaque femme. Votre utérus a la taille d'une belle orange.
- Mon bébé : À la fin du deuxième mois, votre bébé ressemble déjà à une mini-version de vous. Il gigote et ouvre la bouche. Son sexe est déjà déterminé. À 10 semaines d'aménorrhée, il mesure environ 7 cm.
- Mes démarches : Envoyez votre déclaration de grossesse à la Sécurité sociale et à la CAF. Confirmez votre choix de lieu de naissance et d'accompagnant. Si vous travaillez, il vous faut déjà penser aux modes de garde et vous organiser. Pensez à prévenir votre employeur. Vous pouvez déjà entreprendre des activités pour votre bien-être, telles que le yoga, la méditation, la natation, la marche...
- Mes rendez-vous : Première visite prénatale. Si vous voulez avoir un suivi haptonomique, planifiez votre première consultation dès maintenant.

Le troisième mois (de 10 à 14 semaines d'aménorrhée)

- Mon corps : Votre utérus est maintenant dans votre cavité abdominale. Vers la fin du troisième mois, vous pouvez le sentir au toucher (demandez à votre accompagnant de vous aider). Vous commencez à vous arrondir, surtout si ce n'est pas votre première grossesse. Les nausées commencent à diminuer et à disparaître. La taille de votre utérus est semblable à un joli pamplemousse.
- Mon bébé : À la fin du troisième mois, votre bébé entend, perçoit la différence de luminosité et répond à votre toucher. Certaines femmes sont déjà conscientes de ses mouvements (cela est plus fréquent si ce n'est pas votre premier bébé). Son placenta est complètement formé et fonctionnel. À la fin de ce mois, votre bébé mesure environ 14 cm.
- Mes démarches : Si vous désirez suivre une préparation à l'accouchement, il vous faut déjà l'organiser. Si vous n'aviez pas l'énergie nécessaire pour commencer de l'exercice, vous vous sentirez plus en forme vers la fin de ce mois-ci.
- Mes rendez-vous : Visite prénatale (elle n'est pas toujours offerte, demandez-la si vous êtes inquiète ; n'hésitez pas à contacter votre accompagnant). Si vous avez choisi de faire une première échographie, elle se fera au cours de la 10e semaine.

Le quatrième mois (de 16 à 20 semaines d'aménorrhée)

- Mon corps : Vous vous sentez généralement très bien, même si vous pouvez souffrir de quelques maux : saignements de nez, essoufflement, transpiration excessive... À la fin de ce mois, votre utérus est environ de la taille d'un melon et votre grossesse est plus difficile à cacher.
- Mon bébé : Le cœur de votre bébé peut être entendu avec le pinard de votre sage-femme, son stéthoscope obstétrical. Le sexe est remarquable à la 20e semaine sur échographie. Votre bébé mesure environ 15 cm et pèse 385 g.
- Mes démarches : Faites un petit bilan sur votre hygiène de vie : repas équilibrés, exercices réguliers et si besoin est, refaites une petite lecture des deux premiers chapitres. Il n'est jamais trop tard pour bien faire.
- Mes rendez-vous : Visite prénatale.

Le cinquième mois (de 20 à 24 semaines d'aménorrhée)

- Mon corps : Votre utérus continue à grossir et vos organes sont un peu déplacés ; ce qui peut provoquer des régurgitations. Votre bébé bouge énormément et cela vous surprend par moments. Vous allez commencer à reconnaître certaines parties de son corps. Du colostrum (premier lait de votre bébé) coulera peut-être de vos seins. Vous commencez à ressentir des contractions utérines de temps à autre. Elles ne sont pas douloureuses et ont pour but de tonifier votre utérus.
- Mon bébé : Votre bébé est très sensible aux bruits et surtout au son de votre voix. À la fin du cinquième mois, il ouvre les yeux. Il mesure environ 30 cm et pèse 600 g.
- Mes démarches : Bilan sur l'organisation des cours de préparation et des modes de garde de bébé. Pensez à poster vos feuillets de soins.
- Mes rendez-vous : Si vous avez choisi de faire l'échographie du deuxième trimestre, prenez rendez-vous pour la 22e semaine. Consultez un ostéopathe, surtout si vous commencez à souffrir du dos. Visite prénatale.

Le sixième mois (de 24 à 28 semaines d'aménorrhée)

- Mon corps : Vous allez pouvoir connaître la position de votre bébé et sentir plus en détail les parties de son corps. Les contractions utérines sont plus fréquentes, mais doivent continuer à être indolores et non régulières.
- Mon bébé : À la fin de ce mois, votre bébé mesure environ 35 cm et pèse un peu plus de 1 kg.
- Mes démarches : Vous pouvez commencer à organiser son trousseau et le mobilier nécessaire. Les magasins spécialisés peuvent vous faire dépenser une petite fortune pour des accessoires qui, aux yeux de nouveaux parents, semblent indispensables. Rappelez-vous que votre enfant n'a réellement besoin que de vous et de quelques vêtements. Le reste est à ses yeux superficiel. Et si vous pensez partager votre lit les premiers temps, je vous conseille d'attendre pour l'achat du sien. Il est plus facile de savoir ce dont vous avez besoin une fois votre bébé dans vos bras.
- Mes rendez-vous : Visite prénatale.

Le septième mois (de 28 à 32 semaines d'aménorrhée)

- Mon corps : L'expansion de votre volume sanguin est à son maximum et il est assez fréquent de se sentir plus fatiguée. Il est conseillé de vérifier votre taux de fer car certaines femmes ont besoin d'un apport.
- Mon bébé : Sa position devient plus importante à surveiller afin d'être éventuellement corrigée si le bébé est mal positionné (présentation en siège ou postérieure, par exemple). S'il naît durant ce mois, votre bébé devrait survivre. Un très bon soutien médical et maternel sera alors primordial. À la fin de ce mois, il mesure environ 40 cm et pèse 1,900 kg.
- Mes démarches : Vérifiez la date des cours de préparation à l'accouchement.
- Mes rendez-vous : Visite prénatale.

Le huitième mois (de 32 à 37 semaines d'aménorrhée)

- Mon corps : La paroi supérieure de votre utérus se trouve entre votre nombril et votre sternum ; ce qui peut entraîner des brûlures d'estomac et des régurgitations. Pensez à manger des plus petits repas et plus fréquemment. Surveillez votre balance et votre équilibre afin de réduire vos douleurs lombaires.
- Mon bébé : Il doit maintenant garder sa tête en bas. À la fin de ce mois, il mesure environ 46 cm et pèse 2,900 kg.
- Mes démarches : Envoyez à la Sécurité sociale l'attestation d'arrêt de travail. Préparez votre sac pour la maternité et ce dont vous avez besoin pour le travail. N'oubliez pas le siège auto. Si vous accouchez chez vous, préparez le nécessaire. Si vous avez d'autres enfants, confirmez leur garde durant la naissance.
- Mes rendez-vous : Visite prénatale.

Le neuvième mois (de 37 à 41 semaines d'aménorrhée)

- Mon corps : Vous vous sentez plus lourde et fatiguée, vous manquez de souffle. Il est de plus en plus difficile de dormir confortablement et vous êtes souvent interrompue pour vider votre vessie. Vous avez de plus en plus de contractions utérines et la tête de votre bébé est si basse que vous avez l'impression qu'il va sortir tout seul.
- Mon bébé : Il ne fait que grandir maintenant.
- Mes démarches : Tous les préparatifs doivent être prêts. N'oubliez pas de prendre soin de vous durant cette période d'attente.
- Mes rendez-vous : Visite prénatale.

Et à la fin de ce mois, le plus beau rendez-vous qui soit !

À éviter durant ma grossesse

Les plantes

Absinthe, achillée millefeuille, actée à grappe bleue, actée à grappe noire, alchémille, aloès noire, angélique (huile d'), armoise, belle angélique, bourdaine, buchu, busserole, grande camomille, carotte sauvage (graines de), chapparal, cascara sagrada, consoude, dong quai, éphéda, épine vinette, éleuthéro, eucalyptus, fausse-licorne, genévrier, ginseng, griffe du diable, gui, hydraste, lobélie, kava kava, maté séné, marrube, menthe pouliot, myrrhe, osha, patience, pau d'arco, prêle, sabal aunée, safran, sassafras, savoyane, sauge, phytolaque, raisin des montagnes, réglisse, rhubarbe chinoise, ricin, rue, salsepareille, tanaisie, thuya, tussilage, verveine officinale et vitex...[58]

Cette liste est non exhaustive.

Les huiles essentielles

Absinthe, aneth, anis étoilé, armoise, basilic (chémotype méthyl-chavicol), camphre, carvi, cèdre de l'himalaya, cyprès bleu de l'arizona, estragon, eucalyptus dives, eucalyptus polybractea, fenouil, gaulthérie, hysope, menthe pouliot, muscade (noix de), romarin (chémotype camphre), sabine (*juniperus sabina*), sauge officinale, sauge d'espagne, sauge sclarée, tanaisie, thuya[59].

Cette liste est non exhaustive.

Notes

1. U. Erasmus, "Fats that Heal, Fats that Kill", *Alive Books*, Burnaby, B.C. 1994.
2. www.apazevacaccia.com
3. www.danger-sante.org
J. Donley, "Joan Donley's Compendium for a Healthy Pregnancy and a Normal Birth", Joan Donley, New Zealand, 2003.
www.environnement.blogs.liberation.fr/
4. O.D. Rudin, C. Felix, *The Omega-3 Phenomenon*, Avon, 1988.
5. E. Casanueva, M. Maresglindo, C. Meza, L. Schnaes, F.E. Viteri, "Iron Supplementation in non Anemic Pregnant Women", *Geneva SCN News*, 2002.
6. M. Favier, I. Hininger-Favier, « Faut-il supplémenter en fer les femmes enceintes ? », *Gynecol Obstet Fertil*, 2004.
7. Aliment traditionnel indonésien fait de graines de soja jaune, cuites et écrasées.
8. *The Lancet* (1995). www.wddty.com/03363800372474676628/vitamin-a-birth-defects.html
9. OMS, 2008 et World Health Organization, "Safe Vitamin A Dosage During Pregnancy and Lactation : Recommendations and Report of a Consultation", *Document NUT/98.4* Geneva, WHO, 1998. Cette étude est accessible sur www.popline.org/docs/1500/1924/8.html
10. V. Bunduki, M. Dommergues, J. Zittoun, J. Marquet, F. Muller, Y. Dumez, "Maternal-Fetal Folate Status and Neural Tube Defects : a Case Control Study", *BiolNeonate*, 1995.
11. www.cps.ca
12. http://fr.ekopedia.org/Plante_antipollution
13. Centre de recherche et d'information indépendantes sur les rayonnements électromagnétiques.
14. www.criirem.org
15. wholehealthmd.com, 2008.
16. S. Hernandez-Diaz *et al.*, 2002. www.bip31.fr/11bip2003n01.pdf
17. Aliment traditionnel japonais qui se présente sous la forme d'une pâte fermentée, à haute teneur en protéines.
18. C. Preen, « Essential Oils are absorbed into the Bloodstream and Metabolised in the Body », *Today's Therapist*, 2005, 35.
19. J. Louden, *Woman's Comfort Pregnant Book*, Harperone, 2005.
20. E. Bass, L. Davis, *Beginning to Heal: A First Book for Men and Women who were sexually abused as Children*, Collins Living, 2003.

21. Enquête ENVEFF, 2001. http://cozop.com/hans_lefebvre_agoravox/violences_sexuelles_une_enquete_qui_fait_mal
22. Ministère de l'Intérieur 2006, www.solidaritefemmes.fr www.stop-aux-violences-domestiques.com/80-index.html
23. M. Gardberg *et al.*, « Intrapartum Sonography and Persistent Occiput Posterior Position: a Study of 408 Deliveries », *Obs. & Gyn.*, may 1998.
24. Définition du Professeur Henrion – ministère de la Santé – 2001. http://fr.wikipedia.org
25. M. Banks, *Breech Birth Woman-Wise*, Birthspirit Ltd, 1998.
26. M. Hannah, *et al.*, *The Lancet*, 2000. http://afar.naissance.asso.fr/biblio-liens.htm
27. M. Odent, « Le réflexe d'éjection du fœtus », *Les Dossiers de l'Obstétrique*, 295, 2001.
28. R. Frydman, J. Cohen-Solal, *Ma Grossesse*, Odile Jacob, 2008.
29. www.ansl.org
30. S. Gamelin-Lavois, *Accoucher en sécurité : Plaidoyer pour choisir une naissance plus naturelle*, Vivez Soleil, 2004.
31. Voir www.sfmp.net
32. Radius *et al.*, 1993.
33. A. Jahn *et al.*, « Routine Screening for Intrauterine Growth Retardation in Germany : Low Sensitivity and Questionable Benefit for Diagnosed Cases », *Acta Obstet Gynae Scand*, 1998, 77.
R.P. Lorenz *et al.*, « Randomised Prospective Trial Comparing Ultrasonography and Pelvic Examination for Preterm Labor Surveillance », *AJOG*, june 1990.
O. Olsen, J.E. Clausen, « Routine Ultrasound Dating has not been Shown to be more Accurate than the Calendar Method », *BJOG*, 1997, 104.
34. Newnham *et al.*, « Effects of Frequent Ultrasound during Pregnancy : a Randomised Controlled Trial », *The Lancet*, october, 1993 .
Taskinen H. *et al.*, « Effects of Ultrasound, Shortwaves, and Physical Exertion on Pregnancy Outcome in Physiotherapists », *J. of Epidemiology and Community Health*, 1990, 44.
Saari-Kemppainen *et al.*, « Ultrasound Screening and Perinatal Mortality : Controlled Trial of Systematic one-stage Screening in Pregnancy », *The Lancet*, 1990, 336.
R. P. Lorenz *et al.*, 1990.
35. www.fr.wikipedia.org/wiki/Accueil.

36. T.A. Wiegers *et al.*, 1996. Résultats comparés de naissances planifiées à domicile et à l'hôpital pour des grossesses à risque faible: étude prospective des pratiques des sages-femmes aux Pays-Bas.
O. Olsen, M.D. Jewell, «Home versus Hospital Birth», *Cochrane Database Review*, 2000.
«Outcome of Planned Home and Planned Hospital Births in Low Risk Pregnancies: Prospective Study in Midwifery Practices in the Netherlands», *BMJ*, 1996; 313.
C. Kenneth, B.A. Davis, «Outcomes of Planned Home Births with Certified Professional Midwives: Large Prospective Study in North America», *BMJ*, 2005, 330.
37. M. Akrich, «Dossier Périnatalité et parentalité : une révolution en marche? Accoucher à domicile? Comparaison France/Pays-Bas», *La Santé de l'homme*. 2007, 391.
38. Définition de l'haptonomie, www.haptonomie.org
39. Haute Autorité de Santé, 2008.
40. Haute Autorité de Santé, 2008.
41. J. et C. Collonges, *Intimes naissances*, La Plage, 2008.
42. M. Odent, 2000. www.midwiferytoday.com/articles/landmarkfr.asp
43. Enquête nationale périnatale de 1998.
44. www.who.int
45. R. Youssef *et al.*, «Cohort study of maternal and neonatal morbidity in relation to use of episiotomy at instrumental vaginal delivery», *BJOG*, 2005, 112.
46. M. Viswanathan *et al.*, «The Use of Episiotomy in Obstetrical Care: A Systematic Review», *Evidence Report/Technology Assessment*, 2005, 112.
47. S. Spicer, 2003. www.portail.naissance.asso.fr/docs/episio-compil.pdf.
48. M. Alperin *et al.*, «Episiotomy and Increase in the Risk of Obstetric Laceration in a Subsequent Vaginal Delivery», *Obs. & Gyn.*, 2008, 111.

49. A. Sartore *et al.*, «The Effects of Mediolateral Episiotomy on Pelvic Floor Function after Vaginal Delivery», *Obs & Gyn.*, 2004, 103.
50. http://perinatalite.chez.tiscali.fr/episio-farida.htm
51. Alliance francophone pour l'accouchement respecté.
52. www.afar.info
53. www.algidoux.info/articles/aspiration.php?taille=1024&menu=5
54. Société suisse de néonatologie.
55. R. Mendelsohn, 1989. http://users.swing.be/carrefour.naissance/biblio/ES/Mendelsohn.htm
56. E. Liebermann *et al.* «Changes in Fetal Position during Labor and their Association with Epideral Analgesia», *Obs. & Gyn.*, 2005, 105.
E. Liu, A. Sia, «Rates of Caesarean Section and Instrumental Vaginal Delivery in Nulliparous Women after Low Concentration Epidural Infusions or Opioid Analgesia: Systematic Review», *BMJ*, may 2004.
57. E. Liebermann *et al.*, «Association of Epidural Analgesia with Cesarean Delivery in Nulliparas», *Obs. & Gyn.*, 1996, 88.
H. Bakhamees, E. Hegazy, «Does Epidural Increase the Incidence of Cesarean Delivery or Instrumental Labor in Saudi Populations?», *Middle East Journal of Anesthesiology*, 2007, 19.
58. I. Brabant, *Vivre sa grossesse et son accouchement*, Chroniques sociales, 2003.
59. M. Morineau, responsable scientifique des huiles essentielles du Dr Valnet, www.femininbio.com.

Index

A

Abdominaux, 178
Abus sexuel, 83
Accompagnement professionnel, 103
Accouchement
 – à domicile, 114
 – assisté, 163
 – dans l'eau, 141
 – physiologique, 136
Acide folique (B9), 19
Acupuncture, 61
Aérophagie, 46
Alcool, 31
Alimentation, 9
Allaitement, 86
 physiologie de l'—, 88
Amniocentèse, 109
Anémie, 40
Arbre à thé, 49
Aromathérapie, 62
Association, 118
Atelier, 126

B

Brûlure d'estomac, 40

C

Cannabis, 33
Catécholamine, 137
Césarienne, 167
Chant prénatal, 124
Cheveu, 57
Cigarette, 32
Clarté nucale, 109
Constipation, 41
Consultation, 107
Contraception, 177
Coup de blues, 179
Cours de préparation, 122
Crampe, 42

D

Déchirure, 153
Déclenchement médical, 133
Démangeaison, 43
Dépression, 82, 179
 – postnatale, 178
Deuxième phase, 151
Diagnostic prénatal, 109
Doula, 106
Douleur, 96
 – abdominale, 43
 – musculaire, 43
Drogue, 32

E

Échographie, 109, 110
Endorphine, 137
Épisiotomie, 153
Examen, 109
 – de votre bébé, 159

F

Forceps, 166

G

Glucide, 10
Gynécologue-obstétricien, 103

H

Haptonomie, 122
Hémorroïde, 44
Homéopathie, 63
Homosexualité, 85
Hypertension, 45

I

Indigestion, 46
Infection, 47
 – postnatale, 174
 – urinaire, 47
 – vaginale, 49
Insomnie, 51

J

Jambe lourde, 51

K

Kit homéopathique, 158

L

Lapacho, 48
Lieu de naissance, 111
Lipide, 12
Lochies, 171

M

Maison, 114
 – de naissance, 114
Maladie sexuellement transmissible, 53
Malaise, 53
Mal de dos, 52
Massothérapie, 65
Maternité, 112
Médecin, 103
Médecine chinoise, 61
Mélasse, 41
Méthode Acmos, 66
Morphologique, 109
Mycose vaginale, 49

N

Naissance, 159
 signe de la —, 135
 – du placenta, 156
 – lotus, 157
 – non perturbée, 140
 – physiologique, 139
Naturopathie, 66
Nausée, 55

O

Ocytocine, 136
Œdème, 54
Ostéopathie, 67

P

Papa, 75
Peau, 58
Péridurale, 164
Périnée, 172
Peur, 94
Phase
 — active, 145
 — de latence, 144
Phytothérapie, 68
Piscine d'accouchement, 142
Plancher pelvien, 174
Plan de naissance, 120
Plante dépolluante, 34
Polluant, 34
Position du bébé, 97
 — optimale, 97
Posologie homéopathique, 158
Post-terme, 132
Préparatif, 129
Préparation dans l'eau, 124
Présentation, 97

Prolactine, 137
Protéine, 10

R

Radiation, 35
Relaxation, 28
Remède de Bach, 159
Respiration abdominale, 25
Rêve, 54

S

Sage-femme, 105
Saignement, 171
Sein, 60
Sexualité, 177
Siège, 99
Signes (premiers), 135
Sodium, 16
Sophrologie, 30, 68, 123
Suivi, 107

T

Tisane, 22
Toxémie, 45
Transition, 147
Traumas, 93
Trichomonase, 50

Troisième phase, 156

U

Utérus, 171

V

Vaccination, 162
Vaginite, 50
Varice, 56
Ventouse obstétricale, 165
Vie sexuelle, 78
Violence domestique, 84
Vitamine, 17
 — A, 18
 — B, 19
 — B12, 20
 — B6, 20
 — C, 21
 — D, 21
 — E, 22
 — K, 21
Vomissement, 55
Voyage, 56

Y

Yeux, 60
Yoga, 29

Achevé d'imprimer : EMD S.A.S.
N° d'éditeur : 3761
N° d'imprimeur : 21684
Dépôt légal : juillet 2009
Imprimé en France

Cet ouvrage est imprimé - pour l'intérieur - sur papier Satimat 115 g des papeteries Arjowiggins,
dont les usines ont obtenu la certification environnementale ISO 14001 et opèrent conformément aux normes ECF et EMAS